El Quijote
I

Miguel de Cervantes

© Del texto: Grupo Anaya, S. A., 2002
© De los dibujos: Grupo Anaya, S. A., 2002
© De esta edición: Grupo Anaya, S. A., 2002
  Juan Ignacio Luca de Tena, 15 - 28027 Madrid

5.ª reimpresión: 2006
6.ª reimpresión: 2009

Depósito legal: M.8.095-2009
ISBN: 978-84-667-5261-9
Printed in Spain
Imprime: Lavel Industria Gráfica, S. A.

Equipo editorial
  Coordinación y edición: Milagros Bodas, Sonia de Pedro
  Asesor literario: Benjamín Aragón
  Maquetación: Ángel Guerrero
  Ilustración: José Luis García Morán
  Cubiertas: Taller Universo: M. Á. Pacheco, J. Serrano
  Grabación: Texto Directo

Ilustración de cubierta:
© Archivo Anaya
Don Quijote
Honoré Daumier. Pinacoteca de Arte Antiguo, Múnich.

Índice

Presentación

El objetivo de esta colección es que los estudiantes de español puedan acceder a los clásicos de la literatura española a través de una versión adaptada a los distintos niveles de aprendizaje: Inicial, Medio, Avanzado y Superior.

Estructura de la Colección

El autor y su obra: breve reseña para mostrar al estudiante el contexto cultural en que se escribió la obra.

Corpus de la obra adaptada:
• Se han respetado el estilo del autor y el argumento de la obra.

• Se ha tenido en cuenta el nivel al que va destinada en cuanto al léxico y estructuras sintácticas.

• Se ofrecen referencias culturales y léxicas en notas marginales.

Actividades de comprensión lectora, de léxico y de gramática.

Soluciones a las actividades.

Glosario con una selección de términos traducidos.

Se han marcado con un asterisco (*) las palabras recogidas y traducidas en el glosario final. Junto al icono ◀)) se incluye el número de pista.

Criterios de adaptación de esta obra

• Se ha prescindido de algunos episodios interpolados sin romper la línea argumental, así como de algunos diálogos excesivamente discursivos.

• Se han actualizado los giros y expresiones que pueden ser de especial dificultad para el lector.

El autor y su obra

Miguel de Cervantes Saavedra nació en Alcalá de Henares, en 1547. En 1571 se alistó en el ejército y participó en la batalla de Lepanto, donde se distinguió por su valor y entereza. Perdió el movimiento del brazo izquierdo, por lo que fue conocido como *El manco de Lepanto.*

En 1575 fue hecho prisionero y trasladado a Argel, donde permaneció hasta su rescate en 1580.

Fue recaudador de impuestos para la Armada Invencible y viajó por varias ciudades andaluzas. En Sevilla fue encarcelado debido a la quiebra del banquero a quien había confiado los impuestos.

Desengañado y sin recursos económicos, empieza a publicar sus obras, sin descanso. Pasa sus últimos años en Madrid, donde murió el 22 de abril de 1616.

SU OBRA LITERARIA

La obra literaria de Cervantes abarca la poesía, el teatro y la novela.

En poesía destacan *Viaje al Parnaso* y su famoso soneto *Al túmulo de Felipe II.* En teatro cultivó la comedia y el entremés. Entre sus comedias destacan *El cerco de Numancia* y *Los baños de Argel.* Los entremeses más notables son *El retablo de las maravillas, La guarda cuidadosa* y *La elección de los alcaldes de Daganzo.*

Cervantes es considerado como el creador de la novela moderna. Su primera novela fue *La Galatea* (1585), de carácter pastoril. Pero la que sitúa a Cervantes en la cumbre de la literatura española es *El ingenioso hidalgo don Quijote de la Mancha.*

La primera parte apareció en 1605, y la segunda, en 1615. Entre ambas fechas, vieron la luz sus doce Novelas Ejemplares. Destacan *La Gitanilla, La ilustre fregona, El licenciado Vidriera, El coloquio de los perros* y *Rinconete y Cortadillo.*

Su última obra, *Los trabajos de Persiles y Sigismunda,* fue publicada en 1617, muerto ya su autor. Aún tuvo tiempo de escribir la dedicatoria, cuatro días antes de morir.

DON QUIJOTE DE LA MANCHA

Dice Cervantes que escribió el Quijote para "poner en aborrecimiento de los hombres las fingidas y disparatadas historias de los libros de caballerías". Conforme fue configurando los personajes, Cervantes descubrió lo que quería: escribir una obra de arte, abierta a muchas interpretaciones, reflejo de la profundidad de la vida humana, de ahí su vigencia en el tiempo.

La obra está dividida en dos partes. En la primera se relatan las dos primeras salidas del protagonista y se añaden algunos relatos, novelas cortas, como la historia de Marcela y Grisóstomo, la del Cautivo, la de Cardenio y la del Curioso impertinente.

En la segunda parte los personajes van creciendo en profundidad a lo largo de las peripecias vividas en la tercera salida. La derrota* en Barcelona supone la conversión de don Quijote, el loco, en Alonso Quijano, el cuerdo.

El Quijote presenta un humor de doble filo: al tiempo que provoca la risa, deja un sabor amargo, ¿no es así la vida en realidad? La visión que nos da del mundo, de los hombres, entre trágica y esperanzada, es la historia del mundo.

El tiempo histórico de Cervantes se inscribe en los reinados de Carlos I, Felipe II y Felipe III. España pasa de estar abierta al exterior al aislamiento, como consecuencia de los conflictos mal resueltos en las distintas regiones europeas, sobre todo en los Países Bajos.

Los éxitos (victorias de San Quintín, en 1557, y Lepanto, en 1571) se vieron empañados por sonoros fracasos; tal fue el caso de la derrota de la Armada Invencible, en 1588. Por otra parte, este aislamiento vino condicionado por las cerradas posturas religiosas según los postulados de la Contrarreforma, propuesta en el Concilio de Trento

PRÓLOGO

E stimado lector, créeme si te digo que quisiera que este libro, como hijo del entendimiento, fuera el más hermoso y discreto que
pueda imaginarse. Pero ¿qué podía surgir de mi
pobre ingenio sino la historia de un hijo seco y
arrugado, que nació en una cárcel donde habitan
la incomodidad y el ruido?

Por el contrario, el sosiego*, la paz de los campos, la serenidad de los cielos, el sonido de las fuentes y la tranquilidad del espíritu ayudan a que las
musas* se muestren generosas.

Sucede que un padre tiene un hijo feo y su
amor por él le pone una venda* en los ojos para que
no vea sus faltas. Pero yo, que no soy padre, sino
padrastro de don Quijote, no quiero que me suce-

da lo mismo; ni quiero, querido lector, pedirte que perdones las faltas que veas en este hijo mío; al contrario, di libremente todo lo que quieras de esta historia sin temor.

Quisiera dártela sin presentaciones ni explicaciones de personajes importantes ni autores famosos. Pero me siento confuso. ¿Qué opinión tendrán de mí cuando vean que ahora, a mi edad, escribo una historia pobre de estilo y de conceptos? Esto mismo le dije a un amigo mío, el cual me contestó que, si lo que pretende esta historia es acabar con la autoridad de los libros de caballerías, no hacen falta sentencias de filósofos ni de santos. Bastará con escribir empleando palabras honestas y bien colocadas, e intentar, también, que el triste, al leer la historia, se ría; que el risueño ría más; que el simple no se enfade; que el discreto goce con la invención; que el serio no la desprecie, y que el prudente la alabe.

Con estas buenas razones y consejos, me propongo, sin rodeos[1], ofrecerte, lector amigo, la historia del famoso don Quijote de la Mancha —de quien opinan todos los habitantes del campo de Montiel[2] que fue el más puro enamorado y el más valiente caballero—, y de su escudero, Sancho Panza, en quien pongo resumidas todas las cualidades que encontrarás en los libros de caballerías. Y con esto, Dios te dé salud, y a mí no me olvide.

[1] *sin rodeos:* ir directamente al asunto.
[2] *campo de Montiel:* comarca de la Mancha, donde se desarrolla la historia.

My Chapter

El hidalgo[3] don Quijote quiere hacerse caballero andante

[3] *hidalgo:* persona de sangre noble.

En un lugar de la Mancha de cuyo nombre no quiero acordarme, no hace mucho tiempo que vivía un hidalgo de escudo* antiguo, rocín[4] flaco y galgo* corredor. Comía más vaca que cordero[5], carne picada muchas noches, huevos con tocino* los sábados y algún pollo los domingos.

Vivían en su casa una ama[6] que tenía más de cuarenta años y una sobrina que no llegaba a los veinte. Había también un criado que lo mismo ensillaba* el rocín que podaba* las viñas*.

Nuestro hidalgo tenía casi cincuenta años. Era fuerte pero flaco, de pocas carnes y cara delgada, gran madrugador y amigo de la caza. No se sabe si su nombre era Quijada o Quesada, pero lo más probable es que fuera Quejana.

[4] *rocín:* caballo de mala raza.

[5] *Comía más vaca que cordero:* indica que era más bien pobre.

[6] *ama:* criada principal de la casa.

13

Este buen hidalgo dedicaba sus ratos libres a leer libros de caballerías con tanta afición y gusto, que olvidó la caza y hasta la administración de su casa. Vendió muchas de sus tierras para comprar libros de caballerías y juntó todos los libros que pudo. El pobre caballero perdía la razón intentando comprender todas las lecturas. Discutía con el cura de su aldea sobre cuál había sido el mejor caballero: Palmerín de Inglaterra o Amadís de Gaula[7].

[7] Héroes inventados de libros de caballerías muy leídos en la época.

Tanto se metió en sus lecturas que se pasaba los días y las noches leyendo. Leía tanto y dormía tan poco, que se le secó el cerebro y se volvió loco. Se le llenó la imaginación de todo lo que leía sobre encantamientos, batallas, desafíos[8], amores y disparates imposibles, y para él no había nada más cierto en el mundo.

[8] *desafíos:* aquí, combate entre dos caballeros.

Cuando perdió la razón por completo, se le ocurrió el más extraño pensamiento que jamás tuvo ningún loco: hacerse caballero andante e irse por todo el mundo con sus armas y caballo a buscar aventuras y a hacer todo lo que hacían los caballeros andantes que aparecían en sus lecturas, poniéndose en los más difíciles peligros para lograr fama eterna.

Lo primero que hizo fue limpiar unas armas que habían sido de sus abuelos. Fue luego a ver su rocín, que, aunque estaba muy flaco, le pareció que ni el Babieca del Cid[9] se podía comparar con él.

Pensó que debía poner un nombre a su caballo, al igual que otros caballeros famosos. Después de mucho pensarlo, decidió llamarlo Rocinante, nombre sonoro y significativo de lo que había sido antes, cuando fue rocín, porque ahora era el primero de todos los rocines del mundo.

Cuando puso nombre a su caballo, quiso ponérselo a sí mismo. En ello estuvo pensando ocho días hasta que decidió llamarse don Quijote. Pero recordó que Amadís añadió a su nombre el de su tierra y se llamó Amadís de Gaula. Como buen caballero, él también hizo lo mismo y se llamó don Quijote de la Mancha.

Le faltaba buscar una dama de quien enamorarse, porque un caballero andante sin amores es como un árbol sin hojas y sin fruto.

En un pueblo cerca del suyo, había una moza labradora* de muy buen parecer[10] de la que él estuvo enamorado, aunque ella jamás lo supo. Se llamaba Aldonza Lorenzo, pero él creyó que debía darle un nombre que recordase el de una princesa y gran señora y la llamó Dulcinea del Toboso, porque había nacido en ese pueblo.

[9] *Babieca del Cid:* se refiere al caballo del Cid Campeador, personaje histórico famoso por sus hazañas bélicas.

[10] *de muy buen parecer:* muy guapa.

(2) 🔊 CAPÍTULO II

Primera salida de don Quijote

Acabados estos preparativos, no quiso esperar más tiempo para poner en práctica su pensamiento, porque él creía que hacía mucha falta en el mundo para deshacer agravios[11] y reparar injusticias. Así, sin decir nada a nadie, una mañana del mes de julio cogió su escudo y sus armas, subió sobre Rocinante y salió al campo, muy contento al ver que había dado principio a su buen deseo.

Pero pronto recordó que no había sido armado caballero[12] y, según la ley de la caballería, no podía ni debía utilizar las armas para enfrentarse con ningún caballero. Estos pensamientos le hicieron dudar un poco, pero pudo más su locura que otra razón y decidió que al primero que

[11] *agravios:* ofensas y daños a una persona.

[12] *ser armado caballero:* ceremonia por la que se obtiene el grado de caballero.

encontrase en su camino le pediría que le armase caballero, tal como había leído en los libros de caballería.

Con estos pensamientos se tranquilizó y siguió el camino que su caballo Rocinante tomaba por los campos de Montiel. Mientras tanto, iba pensando: "Dichoso* siglo aquel en que saldrán a la luz[13] mis famosas hazañas para la eterna memoria. ¡Oh, tú, sabio escritor, tú que contarás esta historia nunca vista! Te ruego que no te olvides de Rocinante, mi buen compañero de caminos y aventuras". Luego se decía, como si verdaderamente estuviera enamorado: "¡Oh, princesa Dulcinea, señora y dueña de mi corazón! Os ruego que os acordéis de vuestro esclavo*, que tanto sufre por vuestro amor". Así iba añadiendo estos y otros disparates, como los que le habían enseñado sus libros.

Caminó todo el día y no sucedió ninguna cosa, por lo que él se desilusionaba porque estaba ansioso* de demostrar su valor y la fuerza de su brazo. Al anochecer, su rocín y él estaban cansados y muertos de hambre. Iba mirando a todas partes por ver si descubría algún castillo o alguna cabaña de pastores donde alojarse, cuando vio cerca del camino una venta[14], a la que se dirigió a toda prisa. Estaban en la puerta dos mujeres mozas, de esas que llaman de mala vida, que iban

[13] *saldrán a la luz:* se conocerán.

[14] *venta:* aquí, posada o casa del campo.

a Sevilla. Como don Quijote se imaginaba que todo lo que veía era igual que en los libros de caballería, al ver la venta le pareció un castillo y las mujeres, dos hermosas doncellas[15] que estaban divirtiéndose. Las mozas, al ver venir a un hombre armado de esa forma, se asustaron y salieron corriendo. Don Quijote intentó tranquilizarlas con estas palabras:

[15] *doncellas:* mujeres que aún no han tenido relación con ningún varón.

—No huyan vuestras mercedes[16], pues la ley de caballería me impide hacer el mal, y menos aún a tan hermosas doncellas.

[16] *vuestras mercedes:* fórmula de tratamiento muy respetuosa y anticuada.

Cuando las mozas oyeron que las llamaba doncellas, a ellas que habían conocido ya muchos hombres, no pudieron contener la risa. Y cuanto más reían ellas, más se enfadaba don Quijote.

En esto, apareció el ventero y, temiendo que el enfado moviera a tan extraño caballero a usar las armas, le dijo:

—Si vuestra merced, señor caballero, busca posada, aquí encontrará de todo menos cama, porque no hay ninguna.

Don Quijote le respondió:

—Para mí, señor castellano[17], cualquier cosa me basta, porque mis ropas son las armas y mi descanso el pelear.

[17] *castellano:* don Quijote le llama así por pensar que es el señor del castillo.

El ventero ayudó a don Quijote a bajar del caballo y le ofreció luego algo de pescado para la cena. Le atendieron las dos mujeres, que antes ya habían ayudado al caballero a quitarse las armas. Sorprendido, dijo don Quijote:

–Nunca un caballero fue
de damas tan bien servido,
como lo fue don Quijote
cuando de su aldea vino:
doncellas cuidaban de él;
y princesas, de su rocino.[18]

[18] Cervantes recoge aquí los versos de un romance cuyo protagonista era Lanzarote del Lago, héroe de muchos libros de caballería.

Pero lo que más le preocupaba era no verse armado caballero, pues pensaba que no podría comenzar ninguna aventura sin recibir la orden de caballería.

Don Quijote es armado caballero

Preocupado con este pensamiento, llamó al ventero. Se encerró con él en la caballeriza[19], se puso de rodillas y le dijo:

–No me levantaré jamás del suelo, valeroso caballero, hasta que me conceda el deseo que quiero pedirle.

[19] *caballeriza:* lugar donde se guardan los caballos.

El ventero le dijo que así lo haría y don Quijote siguió su discurso:

–No esperaba menos de vuestra merced. El deseo que os pido es que mañana me tenéis que armar caballero. Esta noche en la capilla* de vuestro castillo velaré las armas[20] y mañana se cumpli-

[20] *velaré las armas:* cuidaré de ellas. Era costumbre hacerlo antes de ser armado caballero.

21

rá lo que tanto deseo, para poder ir como se debe por las cuatro partes del mundo buscando las aventuras en favor de los necesitados.

El ventero enseguida se dio cuenta de que estaba loco y, para divertirse, le siguió la broma[21]. Le hizo creer que su deseo era muy acertado, muy propio de los caballeros tan importantes como él. Le dijo también que en su castillo no había capilla donde velar las armas, pero que podía hacerlo en el patio del castillo y por la mañana se harían las debidas ceremonias*.

El ventero le preguntó si traía dinero; respondió don Quijote que no llevaba nada, porque él nunca había leído en las historias que los caballeros andantes lo necesitasen. El ventero le dijo que se equivocaba, que no lo había leído porque era una cosa clara y evidente llevar dinero y camisas limpias. Además, solían llevar una caja pequeña llena de ungüentos[22] para curar las heridas recibidas en los combates, porque no siempre en los campos y desiertos donde combatían había quien los curase.

Don Quijote prometió hacer todo lo que le recomendaba con toda puntualidad y luego empezó a velar las armas en un patio grande que había en la venta.

Don Quijote recogió todas las armas y las puso sobre una pila[23] que había junto a un pozo*. Cogió la lanza* y comenzó a pasear delante de la pila. Cuando inició el paseo ya era de noche.

[23] *pila:* recipiente con agua donde beben los animales.

Uno de los arrieros[24] que allí había quiso dar agua a sus animales, por lo que tuvo que quitar las armas que don Quijote había colocado en la pila. Este, al verlo llegar, le dijo:

[24] *arrieros:* los que trabajan con caballos de carga.

—¡Oh, tú, atrevido caballero que llegas a tocar las armas del más valeroso caballero andante! Mira lo que haces y no las toques, si no quieres perder la vida por tu atrevimiento.

El arriero no hizo caso de estas razones y quitó las armas de allí. Entonces don Quijote levantó la lanza y dio un golpe tan grande al arriero en la cabeza que lo derribó al suelo dejándolo malherido. Luego recogió sus armas y volvió a pasearse como antes.

Los demás arrieros, que vieron lo sucedido, comenzaron a tirarle piedras a don Quijote, hasta que el ventero logró detenerlos diciéndoles que se trataba de un loco. El ventero gritaba y don Quijote gritaba más, llamando a todos traidores*.

Finalmente, el ventero se acercó a él y le dijo que ya había velado las armas y que podía ser armado caballero allí, en mitad del campo.

El ventero cogió un libro. Le acompañaban un muchacho con una vela* y las dos conocidas doncellas. Mandó ponerse de rodillas a don Quijote, fingió que leía una oración, levantó la mano, le dio un buen golpe en el cuello y después otro con su misma espada, siempre hablando entre dientes, como si rezara. Mandó a una de las damas que le colocara la espada a la cintura y, mientras lo hacía, ella le dijo:

[25] *venturoso:* que tiene buena suerte.

–Dios haga a vuestra merced un venturoso[25] caballero y le conceda muchas victorias.

Don Quijote le preguntó su nombre; ella respondió que se llamaba Tolosa. Entonces, don Quijote quiso que, desde ese momento, se llamase doña Tolosa, como corresponde a una gran dama.

Con la otra moza sucedió lo mismo. Su nombre era Molinera, y don Quijote le rogó que pusiese el *don,* doña Molinera.

Terminadas las ceremonias, don Quijote preparó a Rocinante, abrazó al ventero, que no le pidió ningún dinero por su servicio, y salió de la venta.

Capítulo **IV**

Don Quijote realiza su primera hazaña

S alió don Quijote de la venta al amanecer, tan contento por verse ya armado caballero que la alegría se le veía en la cara. Sin embargo, decidió volver a su casa para coger camisas y dinero y buscar un escudero[26]. Pensó en un labrador vecino suyo, que era pobre y con hijos, para que le ayudase en el oficio de la caballería.

[26] *escudero:* criado que llevaba el escudo del caballero cuando este no lo usaba.

Con este pensamiento guió a Rocinante hacia su aldea, y el caballo comenzó a caminar con tanta gana, que parecía que no ponía los pies en el suelo.

No había caminado mucho, cuando oyó unas voces que salían del bosque. A don Quijote le pareció que alguien se quejaba.

–Doy gracias al cielo –se dijo don Quijote–, pues pronto voy a poder cumplir con lo que debo hacer por mi profesión. Estas voces son, sin duda, de alguien que necesita mi ayuda.

Dirigió a Rocinante hacia el lugar de donde salían las voces. A pocos pasos encontró a un muchacho de unos quince años que gritaba; estaba desnudo de cintura para arriba y atado a un árbol.

Y es que un labrador estaba azotando* al chiquillo mientras le decía:

–La lengua callada y los ojos listos.

Y el muchacho respondía:

–No lo haré otra vez, señor; prometo tener más cuidado del rebaño*.

Viendo esto don Quijote, dijo muy enfadado:

–Bien podéis pegar a quien no se puede defender. Subid a vuestro caballo y tomad vuestra lanza, así os enseñaré que es de cobardes lo que hacéis.

El labrador, que vio aquella figura moviendo la lanza sobre su cara, creyó que lo iba a matar y con buenas palabras respondió:

–Señor caballero, este muchacho a quien estoy castigando es mi criado, y es tan descuidado que cada día me falta una oveja del rebaño que tiene a su cargo[27]. Y miente cuando dice que no le pago su salario.

[27] *tiene a su cargo:* estar encargado de su cuidado.

–Él no puede mentir delante de mí –dijo don Quijote–. ¿Cómo podéis decir tal cosa? Desatadlo y pagadle ahora mismo si no queréis que os atraviese con mi lanza.

El labrador bajó la cabeza y desató a su criado. Luego dijo a don Quijote:

–Lo malo, señor caballero, es que no tengo aquí dinero. Que se venga conmigo Andrés, que así se llama el chico, que yo le pagaré todo.

–¿Irme yo con él? –dijo el muchacho–. No, señor; porque cuando esté solo me arrancará la piel.

–No lo hará –dijo don Quijote–, basta con que yo se lo mande para que me tenga respeto y me lo jure por la ley de caballería.

–Mire, vuestra merced –dijo el muchacho–, que mi amo no es caballero ni ha recibido ninguna orden de caballería. Que es Juan Haldudo el rico, vecino de Quintanar[28].

[28] *Quintanar:* Quintanar de la Orden, pueblo de Toledo en la comarca de la Mancha.

—Eso importa poco —respondió don Quijote—, porque puede haber Haldudos caballeros. Cada uno es hijo de sus obras[29].

[29] *cada uno es hijo de sus obras:* se puede ser caballero por herencia familiar (apellido) y por los propios actos.

—Es verdad —dijo Andrés—; pero mi amo ¿de qué obras es hijo si me niega el salario ganado con mi sudor?

—No lo niego, hermano Andrés —dijo el labrador—, venid conmigo, que yo os juro por todas las órdenes de caballerías que os pagaré.

—Así lo haréis —dijo don Quijote—; si no, os juro yo también que os buscaré para castigaros. Sabed que yo soy el valeroso don Quijote de la Mancha, el que deshace todas las injusticias y las ofensas.

Y dicho esto, se alejó montado sobre Rocinante.

El labrador se volvió hacia su criado y le dijo:

—Venid acá, hijo mío, que os quiero pagar lo que os debo como me ha mandado aquel deshacedor de ofensas.

—Hará bien vuestra merced en cumplir el mandamiento de aquel buen caballero; si no, volverá y hará lo que dijo.

El labrador cogió del brazo al muchacho y lo volvió a atar al árbol, donde le dio tantos azotes que lo dejó medio muerto.

–Llamad ahora –decía el labrador– al deshacedor de ofensas, veréis que no deshace esta.

Por fin, lo desató y le dio permiso para que fuera a buscar a su juez. El muchacho se fue llorando y el labrador se quedó riendo.

Así deshizo esta injusticia el valeroso don Quijote; el cual, muy contento con lo sucedido, y satisfecho con el inicio de su nueva vida caballeresca, iba diciendo:

–¡Oh, dichosa tú, Dulcinea del Toboso!, por tener a tu servicio a tan valiente y famoso caballero como es don Quijote de la Mancha.

Iba andando tranquilamente cuando descubrió un numeroso grupo de gente. Eran unos mercaderes[30] toledanos que iban a comprar seda a Murcia. En cuanto los vio, don Quijote se imaginó que aquello era otra aventura y quiso imitar todo lo que había leído en sus libros.

[30] *mercaderes: comerciantes.*

Pensando que eran caballeros andantes, se puso bien derecho sobre el rocín, sujetó el escudo, y con la lanza en la mano se colocó en medio del camino. Cuando los mercaderes estuvieron cerca de él, don Quijote levantó la voz y con un tono autoritario dijo:

–Todo el mundo se detenga y nadie pase de aquí si no afirma que no hay en el mundo doncella más hermosa que la emperatriz de la Mancha, la sin par[31] Dulcinea del Toboso.

[31] *sin par:* única, no hay otra igual.

Al ver y oír a aquella extraña figura, los mercaderes se pararon, y uno de ellos dijo:

–Señor caballero, nosotros no conocemos a esa buena señora. Mostrádnosla, pues si es de tanta hermosura como decís, de buena gana afirmaremos la verdad que nos pedís.

–Si os la mostrara –contestó don Quijote–, ¿qué mérito tendríais vosotros en afirmar una verdad tan notoria? La importancia está en que sin verla lo tenéis que creer, afirmar y defender; si no, conmigo habéis de pelear.

–Señor caballero –respondió un mercader–, ruego a vuestra merced que para no equivocarnos afirmando una cosa jamás vista ni oída por nosotros, nos muestre algún retrato de esa señora. Que aunque en su retrato aparezca tuerta[32], por complacer a vuestra merced diremos en su favor todo lo que quiera.

[32] *tuerta:* que no ve por un ojo.

[33] *encorvada:* con la espalda torcida, doblada hacia delante.

–No es tuerta, canalla* –respondió don Quijote lleno de ira*–; no es tuerta ni encorvada[33], sino bien derecha. Pero ¡vosotros pagaréis esta mentira que habéis dicho contra una belleza como la de mi señora!

Terminó de decir esto y atacó con la lanza al mercader con tanta furia* que si Rocinante no tropieza y cae, lo hubiera pasado mal el atrevido comerciante.

Cayó Rocinante y su amo fue rodando* un gran trecho³⁴ por el campo. Mientras intentaba levantarse decía:

³⁴ *trecho:* espacio, distancia.

—No huyáis, gente cobarde, que estoy aquí tendido por culpa de mi caballo.

Uno de los mozos de mulas*, cansado de oír tantos insultos, se acercó a él, rompió la lanza en pedazos y le dio tal paliza que ya no le fue posible levantarse de lo dolorido que tenía todo el cuerpo.

Capítulo V

Don Quijote regresa a su aldea

En esta situación se encontraba cuando pasó por allí un labrador de su mismo pueblo y vecino suyo, que viéndolo tirado en el suelo se paró a ayudarlo. El labrador le descubrió la cara, se la limpió, que la tenía cubierta de polvo, y al reconocerlo le dijo:

–Señor Quijana –que así se debía de llamar él antes de perder el juicio[35] y hacerse caballero andante–, ¿quién ha puesto a vuestra merced de este modo?

[35] *perder el juicio:* perder la razón, volverse loco.

Pero él seguía en sus pensamientos y no contestó nada. El labrador lo levantó del suelo y lo subió sobre su asno*. Recogió las armas, las puso sobre Rocinante y se dirigió hacia su pueblo. En el camino, don Quijote llamaba al labrador Rodrigo de Narváez o Marqués de Mantua, confundiéndolo con estos personajes de los libros que había leído, y él mismo decía ser unas veces Valdovinos, y otras, Abindarráez.

Al oír estas locuras, dijo el labrador:

—Mire, señor, que yo no soy don Rodrigo de Narváez ni el Marqués de Mantua, sino Pedro Alonso, su vecino; ni vuestra merced es Valdovinos ni Abindarráez, sino el honrado señor Quijana.

—Yo sé quién soy —respondió don Quijote— y sé que puedo ser no solo los que he dicho sino los doce Pares de Francia[36], pues todas sus hazañas las puedo yo superar.

[36] *Pares de Francia:* los caballeros más importantes en la corte de Carlomagno. Se llamaron Pares por ser todos iguales en valor.

Llegaron al pueblo cuando ya anochecía y entraron en la casa de don Quijote, donde se encontraban el cura, Pero Pérez, y el barbero, maese[37] Nicolás, que eran buenos amigos de don Quijote.

[37] *maese:* antiguamente, maestro.

Los dos, junto con la sobrina y el ama, discutían sobre la ausencia de su amo y sus malas lecturas, que le habían hecho perder el juicio.

—Hace tres días que no aparecen ni él, ni el rocín, ni la lanza, ni las armas —decía el ama—. La verdad es que la culpa es de esos libros de caballerías que él tiene y suele leer. Ellos le han quitado el juicio. Ahora recuerdo haberle oído decir muchas veces que quería hacerse caballero andante e irse a buscar aventuras por esos mundos.

La sobrina decía lo mismo:

—Sepa, señor barbero, que muchas veces mi tío leía esos libros durante días enteros, y cuando dejaba el libro, cogía la espada, se ponía a pelear con las paredes y decía que había matado a cuatro gigantes o más. Pero yo tengo la culpa de todo, porque no avisé a vuestras mercedes de los disparates de mi tío, para que le quitasen y quemaran todos esos libros.

—Esto digo yo también —dijo el cura—, y mañana mismo los echaremos al fuego, para que no den la oportunidad a otro de caer en la locura de nuestro buen amigo.

Todo esto estaban oyendo el labrador y don Quijote. El labrador comprendió así la enfermedad de su vecino y comenzó a decir a voces:

—Abran vuestras mercedes al señor Valdovinos y al señor Marqués de Mantua, que viene malherido, y al señor Abindarráez, a quien trae preso el valeroso Rodrigo de Narváez.

A oír las voces voces salieron todos y se fueron a abrazar a don Quijote, pero él dijo:

–Deteneos, que vengo malherido por culpa de mi caballo. Llevadme a mi cuarto y llamad, si es posible, a la sabia Urganda[38] que cure mis heridas.

[38] *sabia Urganda:* personaje famoso de los libros de caballerías, que tenía poderes mágicos para curar.

–Suba, vuestra merced –dijo el ama–, que, aunque no esté esa señora, aquí le sabremos curar.

Lo llevaron a la cama y él pidió que le dieran de comer y le dejasen dormir, que era lo que más le importaba.

(4) ◀)) CAPÍTULO VI

El cura y el barbero queman los libros de don Quijote[39]

las llaves - keys

Al día siguiente, don Quijote todavía dormía cuando llegaron el cura y el barbero. Pidieron a la sobrina las llaves de la habitación donde estaban los libros, y ella se las dio de muy buena gana. Entraron todos en la habitación, y el ama con ellos. Encontraron más de cien libros grandes y otros pequeños.

les hiciera daño - wounded

En cuanto el ama los vio, tuvo miedo de que en la habitación hubiese algún encantador[40] de los muchos que había en esos libros y les hiciera daño también a ellos.

[40] *encantador:* que hace encantamientos, hechizos o magia.

El cura se rió de la simplicidad del ama, y mandó al barbero que le diese aquellos libros uno por uno, para ver de qué trataban, pues podía ser que algunos de ellos no mereciesen terminar en el fuego.

encantador - magician / wizard

37

–No –dijo la sobrina–, no hay por qué salvar ninguno, porque todos han sido los causantes de la locura de mi tío. Mejor será tirarlos por la ventana al corral del patio y luego quemarlos.

Lo mismo dijo el ama, pero el cura quiso, por lo menos, leer antes los títulos. Y el primero que el barbero le dio en las manos fue *Amadís de Gaula*, y dijo el cura:

–Según he oído, este libro fue el primero de caballerías que se imprimió en España. Y así, me parece que, por ser el principio y origen de todos los demás libros, lo debemos echar al fuego sin excusa alguna.

–No, señor –dijo el barbero–, que también he oído decir que es el mejor de todos los libros de caballerías, y por eso se debe salvar.

–Es verdad –dijo el cura–. Veamos ese otro que está junto a él.

–Es las *Sergas de Esplandián*[41], hijo legítimo de Amadís de Gaula –dijo el barbero.

–Pues –dijo el cura– no le ha de valer al hijo la bondad del padre[42]. Tome, señora ama, abra esa ventana y échelo al corral para quemarlo.

throw

Y sin querer cansarse más en leer libros de caballerías, mandó al ama que tomase todos los

[41] *Sergas de Esplandián:* El personaje Esplandián es hijo de Amadís; y el libro, una continuación del *Amadís.*

[42] *no le ha de valer al hijo la bondad del padre:* a cada uno se le juzga por sus actos y no por ser hijo de quien es.

libros grandes y los tirase al corral. Ella, que tenía muchas ganas de quemarlos, tomando ocho de una vez los arrojaba por la ventana. Al coger muchos juntos, se le cayó uno a los pies del barbero y este lo recogió para ver de quién era. Leyó el título: *Historia del famoso caballero Tirante el Blanco.*

arrojaba- to throw

—¡Válgame Dios! —exclamó el cura—. *Tirante el Blanco* es, por su estilo, el mejor libro del mundo: aquí comen los caballeros y duermen y mueren en sus camas, como lo hacemos todos. Lléveselo a su casa y lea las aventuras del valeroso caballero de Montalbán y los amores y mentiras de la viuda Reposada; verá que es muy divertido y que es verdad lo que os he dicho[43].

[43] En esta crítica elogiosa del libro, Cervantes destaca el humor y el tono realista de la obra.

—Así será —respondió el barbero—, pero ¿qué haremos de estos pequeños libros que quedan?

—Estos —dijo el cura— no deben de ser de caballerías sino de poesía, y no merecen ser quemados como los demás, porque no hacen ni harán el daño que han hecho los de caballerías.

—¡Ay, señor! —dijo la sobrina—. Bien los puede vuestra merced mandar quemar como los demás, porque sería peor que al leerlos mi tío quisiera hacerse poeta, que es enfermedad incurable.

viuda- widow

–Esta doncella dice la verdad –dijo el cura–, y será bueno quitarle a nuestro amigo la ocasión de enfermar otra vez. Pero ¿qué libro es ese?

[44] *La Galatea:* primera obra impresa de Cervantes cuya segunda parte no llegó a publicar. Es una ironía del autor mencionar su obra y salvarla.

–*La Galatea*[44], de Miguel de Cervantes –dijo el barbero.

–Hace muchos años que es gran amigo mío ese Cervantes –dijo el cura–. Su libro tiene algo de buena invención; propone algo pero no llega a ninguna conclusión: es necesario esperar la segunda parte que promete. Entretanto, guárdelo usted en su casa.

–Con gusto lo haré –respondió el barbero–. Y aquí vienen tres, todos juntos: *La Araucana, La Austríada* y *El Monserrato*[45].

[45] Los tres libros son poemas épicos. El primero, de Alonso de Ercilla, fue el más famoso.

–Todos ellos –dijo el cura– son los mejores libros de aventuras en verso escritos en lengua castellana, y pueden competir con los más famosos de Italia. Hay que guardarlos.

CAPÍTULO VII

Segunda salida de don Quijote

[handwritten: debían str / should be]

Mientras el cura y el barbero discutían sobre los títulos de los libros de caballería que debían ser quemados, oyeron a don Quijote decir a grandes voces:

–Aquí, aquí, valerosos caballeros; aquí debéis mostrar la fuerza de vuestros valerosos brazos.

El cura y el barbero fueron a ver qué le pasaba. Cuando llegaron, don Quijote ya estaba levantado de la cama y continuaba con sus voces, dando cuchilladas[46] a todas partes como si peleara con alguien. Lo agarraron y se lo llevaron de nuevo a la cama. Le dieron de comer y se quedó otra vez dormido.

[handwritten: ara-past subjunct.]

[46] *cuchilladas:* golpes dados con el cuchillo, una espada u otra arma cortante.

El cura y el barbero pensaron en tapiar* el cuarto donde estaban los libros de caballerías para

[handwritten: de nuevo - again]

[handwritten: tapiar - to wall up]

41

que su amigo no los volviese a ver. Le dirían que un encantador se los había llevado. Y así se hizo.

Dos días después se levantó don Quijote, y lo primero que hizo fue ir a ver sus libros. Como no hallaba el cuarto, preguntó al ama por él, y ella, que ya sabía lo que tenía que responder, le dijo:

–¿Qué cuarto busca vuestra merced? Ya no hay cuarto ni libros en esta casa, porque todo se lo llevó el mismo diablo.

–No era diablo –dijo la sobrina–, sino un encantador que vino una noche sobre una nube, entró en el cuarto y no sé lo que hizo dentro, que al poco tiempo salió volando por el tejado y dejó la casa llena de humo. Cuando se fue, vimos que no había ya ni cuarto ni libros. Y mientras el encantador se iba volando, decía en voz alta que había hecho aquel daño por enemistad secreta con el dueño de aquellos libros y que se llamaba el sabio Muñatón.

–Frestón diría –dijo don Quijote.

–No sé –respondió el ama– si se llamaba Frestón o Fritón[47], solamente sé que su nombre acababa en *tón*.

–Así es –dijo don Quijote–, ese es un sabio encantador, gran enemigo mío, pues sabe que más

[47] *Frestón o Fritón:* el sabio Fristón (no Frestón) era un personaje de un libro de caballerías. Cervantes se burla al jugar con su nombre.

42

adelante tendré que pelear con un caballero a quien él protege y le venceré sin que él lo pueda impedir. Por eso intenta hacerme todo el daño que puede.

—¿Y no será mejor quedarse tranquilo en su casa y no irse por el mundo a buscar aventuras? —dijo la sobrina—. Mire usted que no siempre se consigue lo que se quiere.

No quisieron las dos insistir más, porque vieron que su enfado iba en aumento.

Y así estuvo don Quijote quince días en casa muy tranquilo, sin dar muestras de querer seguir sus primeras locuras.

En ese tiempo fue a ver don Quijote a un labrador vecino suyo, hombre honrado aunque pobre, pero de muy poca sal en la mollera[48]. Tanto le dijo y tanto le prometió, que el hombre decidió irse con él y servirle de escudero. Don Quijote le decía que podía ganar alguna ínsula[49] y dejarlo a él como gobernador. Con estas promesas, Sancho Panza, que así se llamaba el labrador, dejó a su mujer e hijos y se convirtió en escudero de su vecino.

Don Quijote ordenó a Sancho que llevase algún dinero y, sobre todo, que no olvidase las

[48] *poca sal en la mollera:* de corto entendimiento, ignorante.

[49] *ínsula:* isla.

[50] *alforjas:* bolsas de tela con dos bolsillos.

alforjas[50]. Dijo Sancho que las llevaría y que pensaba llevar también un asno muy bueno que tenía, porque no estaba acostumbrado a andar a pie. Cuando todo estuvo preparado, sin despedirse Sancho de sus hijos y mujer, ni don Quijote de su ama y sobrina, una noche salieron del lugar sin que nadie los viese.

Iba Sancho Panza sobre su asno, con sus alforjas y su bota de vino[51], con mucho deseo de verse ya gobernador de la ínsula prometida. Así se lo dijo a su amo:

[51] *bota de vino:* bolsa de cuero para llevar vino.

—Mire, señor caballero andante, que no se le olvide lo de la ínsula, que yo la sabré gobernar aunque sea muy grande.

A esto respondió don Quijote:

—Has de saber, amigo Sancho Panza, que fue costumbre de los caballeros andantes hacer gobernadores a sus escuderos de las ínsulas o reinos que iban ganando, y yo pienso seguir esta costumbre. Y bien podría ser que antes de seis días ganase yo un reino y fueses coronado rey de él.

—De esa manera —respondió Sancho Panza—, si yo fuese rey por algún milagro de los que vuestra merced dice, Juana Gutiérrez, mi mujer, sería reina, y mis hijos, infantes.

–Pues ¿quién lo duda? –contestó don Quijote.

–Yo lo dudo –dijo Sancho–, porque no vale mi mujer para reina; condesa será mejor.

_countess

–Pídelo tú a Dios –dijo don Quijote–, que él le dará lo que le venga mejor.

My chapter

(6) 🔊 CAPÍTULO VIII

Los molinos de viento

Iban caminando cuando descubrieron treinta o cuarenta molinos de viento que hay en aquel campo, y cuando don Quijote los vio, dijo a su escudero:

—La suerte va guiando nuestras cosas mejor de lo que pensábamos; porque mira allí, amigo Sancho Panza, donde se ven treinta, o pocos más, inmensos gigantes. Pienso pelear con ellos y quitarles a todos las vidas, y con el botín[52] que ganemos comenzaremos a enriquecernos.

—¿Qué gigantes? —dijo Sancho Panza.

—Aquellos que allí ves —respondió su amo— de los brazos largos, que miden algunos casi dos leguas[53].

[52] *botín:* aquí, las armas y pertenencias del ejército vencido.

[53] *leguas:* medida de longitud (5,5 km).

–Mire, vuestra merced –respondió Sancho–, que aquellos no son gigantes sino molinos de viento, y lo que en ellos parecen brazos son las aspas[54], que se mueven por el viento.

–Bien parece –respondió don Quijote– que no estás enterado en esto de las aventuras: ellos son gigantes; y si tienes miedo, quítate de ahí y reza mientras voy yo a entrar en fiera y desigual batalla.

Y diciendo esto, se lanzó con su caballo Rocinante diciendo:

–No huyáis, cobardes, que un solo caballero os ataca.

Entonces se levantó un poco de viento y las grandes aspas comenzaron a moverse. Al verlo, dijo don Quijote:

–Aunque mováis todos los brazos del mundo, me lo vais a pagar[55].

Luego, con la lanza en la mano, puso a todo galope* a Rocinante y atacó el primer molino que estaba delante. Dio un gran golpe con la lanza en el aspa, pero el viento hizo girar el aspa con tanta fuerza que rompió la lanza, arrojando lejos al caballo y al caballero, que fue rodando malherido por el campo. Acudió Sancho a socorrerlo y vio que no se podía mover; tal fue el golpe que había recibido.

Dio un gran golpe con la lanza en el aspa, pero el viento hizo girar el aspa con tanta fuerza que rompió la lanza, arrojando lejos al caballo y al caballero.

—¡Válgame Dios! —dijo Sancho—. ¿No le dije yo a vuestra merced que tuviese cuidado con lo que hacía, que eran molinos de viento?

—Calla, amigo Sancho —respondió don Quijote—, que las cosas de la guerra cambian continuamente. Más aún, yo pienso que aquel sabio Frestón que me robó los libros ha convertido estos gigantes en molinos, para quitarme la fama de su derrota. Pero poco podrá su maldad contra la bondad de mi espada.

—Dios quiera que así sea —respondió Sancho Panza.

Le ayudó Sancho a levantarse y a subir sobre Rocinante y siguieron camino.

Después de caminar un buen trecho, Sancho dijo que era hora de comer. Su amo le respondió que comiese lo que quisiese, que él no tenía necesidad. Con su permiso, Sancho se puso cómodo en su asno e iba caminando y comiendo detrás de su amo y, de cuando en cuando, empinaba la bota[56] con mucho gusto.

La noche la pasaron entre unos árboles; don Quijote pensando en su señora Dulcinea, para hacer lo que había leído en sus libros, y Sancho Panza durmiendo sin parar.

[56] *empinaba la bota:* beber, inclinar la bota para beber vino.

Muy de mañana, continuaron viaje hacia Puerto Lápice[57]. A mitad de trayecto*, aparecieron por el camino dos frailes de la orden de San Benito sobre dos mulas y, un poco más atrás, un coche llevado por caballos, donde viajaba una señora vizcaína[58] que iba a Sevilla. Apenas los vio don Quijote, dijo a su escudero:

–O yo me engaño, o esta ha de ser la más famosa aventura que se haya visto; porque aquellos bultos* negros deben de ser algunos encantadores que llevan prisionera a alguna princesa.

–Esto va a ser peor que los molinos de viento –dijo Sancho–. Mire, señor, que aquellos son frailes de San Benito y el coche debe de ser de pasajeros.

–Sabes poco, Sancho, de aventuras –respondió don Quijote–, lo que yo digo es verdad y ahora lo verás.

Don Quijote se puso en medio del camino y avanzó veloz con el caballo en dirección a los frailes. Uno de ellos cayó de la mula y el otro salió huyendo de miedo. Sancho, al ver al fraile en el suelo, comenzó a quitarle los vestidos, pensando que le pertenecían como parte del botín de la batalla que había ganado su amo.

[57] *Puerto Lápice:* pueblo de Ciudad Real, en la Mancha.

native

[58] *vizcaína:* natural de Vizcaya, en el País Vasco.

Pero unos mozos que acompañaban a los frailes aprovecharon que don Quijote estaba hablando ya con la señora del coche, para darle tantos golpes a Sancho que lo dejaron tendido en el suelo sin sentido.

Mientras, don Quijote le decía a la dama:

—Hermosa señora mía, sus raptores* ya han sido derrotados por este fuerte brazo. Sabed que me llamo don Quijote de la Mancha, caballero andante y aventurero, y servidor de la hermosa doña Dulcinea del Toboso; y en pago del favor que os he hecho, quiero que vayáis al Toboso y os presentéis ante esa señora y le digáis lo que he hecho por vuestra libertad.

Un escudero vizcaíno, que oyó lo que decía don Quijote, se acercó a él y cogiéndole por el brazo le dijo:

—Vete, caballero, que si no dejas que el coche siga su camino, te mataré.

Don Quijote cogió la espada con el pensamiento de quitarle la vida. El vizcaíno, al ver la intención de don Quijote, decidió hacer lo mismo. La señora del coche y los demás criados estaban asustados ante las furiosas amenazas de los dos contendientes[59], que ya se aproximaban con sus espadas en alto…

[59] *contendientes:* rivales, personas que se enfrentan entre sí.

Pero, en este punto, el autor de esta historia deja pendiente el final de esta batalla, porque dice que no encontró nada más escrito sobre las hazañas de don Quijote.

El segundo autor[60] no paró de buscar hasta encontrar en alguna parte de la Mancha los papeles que tratasen las aventuras y hazañas de este famoso caballero andante.

[60] Se refiere a Cervantes, pues el primer autor es inventado.

Capítulo IX

Concluye la aventura del vizcaíno

Dejamos al valeroso vizcaíno y al famoso don Quijote con las espadas en alto a punto de dar el golpe. Pero no sabemos cómo terminó esta historia, porque su autor no dice dónde se puede encontrar lo que falta de ella.

Me pareció imposible que a tan buen caballero le faltase algún sabio que escribiese sus increíbles hazañas, pues todos los caballeros andantes tenían uno o dos sabios que no solo escribían sus hechos, sino también sus más íntimos pensamientos[61].

Hice todo lo posible por buscar el fin de esta agradable historia, hasta que di con ella. Estaba yo en Toledo cuando llegó un muchacho a vender unos cartapacios[62].

[61] Aquí Cervantes se burla de los libros de caballerías, donde es habitual fingir un autor distinto del real, que además cuenta con excesivos detalles la vida del héroe.

[62] *cartapacios:* carpetas para guardar papeles.

Quise ver de qué se trataba y vi que estaban escritos con letras árabes. Encontré quien me lo pudiera leer, y al poco tiempo de empezar esta tarea vi que empezaba a reírse. Le pregunté de qué se reía y me dijo que de algo que estaba escrito en el margen:

"Esta Dulcinea del Toboso, tantas veces citada en esta historia, dicen que tuvo la mejor mano para salar cerdos que otra mujer de la Mancha".

Al oír Dulcinea del Toboso, quedé sorprendido porque pensé que aquellos cartapacios contenían la historia de don Quijote. Pedí que me leyera el principio y me dijo que decía: "Historia de don Quijote de la Mancha, escrita por Cide Hamete Benengeli, historiador árabe". Fue tal el contento que recibí que compré al muchacho todos los cartapacios. En poco más de mes y medio, tuve traducida toda la historia tal como aquí se cuenta.

En el primer cartapacio, estaba narrada la batalla de don Quijote con el vizcaíno y se relataba de esta manera:

"Listas para el combate y levantadas en alto las espadas de los dos valerosos combatientes, parecía que estaban amenazando al cielo y a la tierra. El primero en atacar fue el colérico[63] vizcaíno, que le

[63] *colérico:* furioso, lleno de ira.

cortó media oreja a don Quijote y le dio un buen golpe en el hombro que le hizo rodar por el suelo. Este se levantó lleno de cólera*, se subió de nuevo al caballo y golpeó al vizcaíno con tal furia que comenzó a echar sangre por todo su cuerpo y cayó al suelo malherido. Don Quijote fue hacia él y, poniéndole la espada entre los ojos, le dijo que se rindiera*.

"En esto, la señora del coche se acercó a don Quijote y le pidió que perdonara la vida a su escudero. Don Quijote respondió en tono serio:

—Yo estoy contento, hermosa señora, de hacer lo que me pedís. Pero este caballero me ha de prometer ir al Toboso y presentarse de mi parte ante la sin par doña Dulcinea, para que ella haga de él lo que quiera.

"La señora prometió que el escudero haría todo aquello que le mandaran.

—Esa palabra me basta —dijo don Quijote— para que yo no le haga más daño, aunque lo tiene bien merecido."

Capítulo X

Razonamientos entre don Quijote y su escudero

Sancho Panza había estado atento a la batalla de su señor don Quijote y rogaba a Dios que le diese la victoria y que en ella ganase alguna ínsula de la que le hiciese gobernador, como le había prometido. Sancho ayudó a su amo a subir sobre Rocinante y, besándole la mano, le dijo:

—Ya puede vuestra merced darme el gobierno de la ínsula que en esta batalla se ha ganado, que yo me siento con fuerzas para gobernarla como el mejor gobernador.

Don Quijote le respondió:

—Sancho, estas aventuras no son de ínsulas sino de encrucijadas[64], en las cuales solo se gana

[64] *encrucijadas:* lugares donde se cruzan dos caminos.

sacar rota la cabeza o quedar con una oreja menos. Tened paciencia, porque no faltarán aventuras para que te pueda hacer gobernador o algo más.

Don Quijote sobre Rocinante y Sancho en su asno entraron en un bosque.

Entonces preguntó don Quijote a Sancho:

—¿Has visto más valeroso caballero que yo en toda la tierra? ¿Has leído en alguna historia que otro caballero haya tenido más valor?

—La verdad es —dijo Sancho— que yo no he leído ninguna historia, porque no sé leer ni escribir. Pero digo que jamás he servido a un amo tan atrevido como vuestra merced. Y ahora le ruego que se cure la oreja, que veo que está echando sangre.

—Eso no sería difícil —respondió don Quijote— si yo recordara cómo se hace el bálsamo de Fierabrás[65], que con una sola gota bastaría para curarla.

—¿Qué bálsamo es ese? —preguntó Sancho Panza.

—Con ese bálsamo —respondió don Quijote— no hay que temerle a la muerte, ni a morir de ninguna herida. Así que cuando lo haga y te lo dé, si un día me parten en dos en alguna batalla, juntas las dos partes de mi cuerpo y me das dos tragos del bálsamo; quedaré más sano que una manzana.

[65] *bálsamo de Fierabrás:* medicamento para curar heridas que robó el gigante Fierabrás, personaje de un romance que aparece en muchos libros de caballerías.

—Si eso es así —dijo Sancho—, renuncio* al gobierno de la prometida ínsula; lo único que quiero es la receta de ese bálsamo, pues con lo que val-
drá podré ganar mucho dinero al venderlo y vivir
descansadamente. Pero hay que saber cuánto cos-
taría hacerlo.

—Con poco dinero se puede hacer una gran
cantidad. Pero pienso enseñarte otros y mayores
secretos. Y ahora ve a las alforjas y trae algo
de comer, porque luego vamos a buscar algún
castillo donde alojarnos esta noche, que me está
doliendo mucho la oreja y necesito preparar el
bálsamo.

—Aquí traigo una cebolla y un poco de queso,
y no sé cuántos mendrugos[66] —dijo Sancho—; pero
no son manjares* para tan valiente caballero como
vuestra merced.

[66] *mendrugos:* trozos de pan duro.

—¡Qué mal lo entiendes! —respondió don Quijote—. Has de saber que es honra de los caballeros
andantes no comer en un mes, pero, cuando no
hay otra cosa, es bueno comer cosas sencillas del
campo como las que tú me ofreces.

Sacó Sancho lo que traía y comieron los dos
en paz. Subieron luego a caballo y poco después,
como ya anochecía, se detuvieron junto a las
cabañas de unos cabreros para pasar la noche.

Capítulo XI

Don Quijote y los cabreros

Los cabreros los recibieron con amabilidad. Sancho se ocupó de Rocinante y de su asno y después se acercó a un caldero[67] donde los cabreros estaban guisando unos trozos de carne de cabra. Pusieron en el suelo unas pieles de oveja, para que les sirviesen de mesa, y se sentaron alrededor. A don Quijote lo sentaron sobre un almohadón, después de rogarle con mucha cortesía que lo hiciera.

Viendo don Quijote que Sancho estaba de pie, le dijo:

—Para que veas, Sancho, el bien que encierra la andante caballería, quiero que aquí a mi lado te sientes en compañía de esta buena gente, que soy tu amo y señor; que comas en mi plato y bebas

[67] *caldero:* vasija redonda para cocinar.

por donde yo bebo, porque la caballería andante es como el amor, que iguala todas las cosas.

—¡Menudo favor! —dijo Sancho—, pues si tengo algo que comer, prefiero hacerlo en mi rincón sin finos modales ni respetos, aunque sea pan y cebolla.

—A pesar de todo, te has de sentar, Sancho.

Los cabreros, que no entendían de escuderos y de caballeros andantes, comían y callaban, sin dejar de mirar a sus invitados, que tragaban con gana buenos trozos de cabra.

Una vez acabada la carne, pusieron en el centro gran cantidad de bellotas* y medio queso para acompañar el vino que aún quedaba.

Después de comer, don Quijote cogió un puñado⁶⁸ de bellotas y dijo:

⁶⁸ *puñado:* poca cantidad, lo que cabe en un puño.

—Dichosos aquellos siglos dorados, llamados así no porque hubiese mucho oro, sino porque los que vivían en aquel tiempo ignoraban las palabras *tuyo* y *mío*. Entonces todas las cosas eran comunes: para comer bastaba con levantar la mano y coger el fruto de las robustas* encinas*. Las fuentes y los ríos ofrecían frescas y transparentes aguas. En los huecos de los árboles, las abejas regalaban la dulce miel que solo ellas trabajaban. Todo era paz

y amistad entonces. Las hermosas muchachas andaban solo con lo necesario para cubrir lo que la
honestidad* ha querido siempre que se cubra. El
engaño no se mezclaba con la verdad. Y ahora, en
estos tiempos que vivimos, nada está seguro. Por
ello se creó la orden de los caballeros andantes;
para defender a las doncellas, proteger a las viudas
y socorrer a los huérfanos y los necesitados. De
esta orden soy yo, hermanos cabreros, a quienes
agradezco el habernos acogido tan amablemente a
mí y a mi escudero.

Los cabreros le estuvieron escuchando embobados[69] y sin decir palabra. Finalmente, dijo uno
de los cabreros:

—Para que vea, señor caballero andante, que le
acogemos con buena voluntad, queremos conten-
tarle con una canción que sabe un compañero
nuestro y que no tardará en venir.

Apenas había terminado de hablar, cuando
llegó a los oídos de todos la música de un rabel[70],
y al poco rato apareció el mozo que lo tocaba.

Uno de los cabreros le dijo:

—Bien podrías cantar un poco para que este
señor vea que también por los montes y bosques
hay quien sabe de música.

[69] *embobados:* admirados, asombrados, absortos.

[70] *rabel:* instrumento pequeño de cuerda, típico de pastores.

71 *sin hacerse de rogar:* rápidamente, sin que nadie le insista.

El mozo, sin hacerse más de rogar[71], se sentó en un tronco de encina y comenzó a cantar una canción de amores. Quiso don Quijote que cantase algo más, pero Sancho le dijo que esos hombres estaban ya cansados del duro trabajo que habían hecho.

—Ya te entiendo, Sancho —dijo don Quijote—. Es hora de descansar. Ponte cómodo donde quieras, que los de mi profesión mejor están despiertos que durmiendo. Pero antes quisiera que me vuelvas a curar esta oreja, que me duele bastante.

72 *romero:* planta aromática.

Uno de los cabreros dijo que él tenía un excelente remedio para curarla: tomó algunas hojas de romero[72], las machacó* y las mezcló con un poco de sal y se lo puso en la oreja, diciéndole que no necesitaba otra medicina, y así fue.

Capítulo XII

Aventura de los yangüeses[73]

[73] *yangüeses:* naturales de Yanguas de Eresma, pueblo de Segovia.

Cuenta el sabio Cide Hamete Benengeli que cuando don Quijote se despidió de los cabreros, él y su escudero entraron en un bosque cabalgando y fueron a parar a un prado de frescas hierbas por donde corría un arroyo de aguas claras. Se apearon[74] don Quijote y Sancho y dejaron al asno y a Rocinante pacer a sus anchas[75] por el prado, mientras ellos comían en buena compañía de lo que llevaban en las alforjas.

Había en el prado una manada de yeguas* de unos yangüeses que habían parado a descansar. En cuanto Rocinante vio las yeguas, corrió hacia ellas muy contento para saciar su natural instinto*, pero lo recibieron a coces[76]. Y viendo los yangüeses la insistencia de Rocinante, acudieron con palos y le dieron golpes hasta derribarlo al suelo.

[74] *se apearon:* aquí, se bajaron de los caballos.

[75] *pacer a sus anchas:* comer hierba los animales en libertad, cómodamente.

[76] *coces:* plural de coz*.

67

Don Quijote, que vio la paliza dada a Rocinante, dijo a Sancho:

—Por lo que veo, amigo Sancho, estos no son caballeros, sino gente sin educación. Te lo digo para que me ayudes a vengar* el daño que han hecho a Rocinante.

—¿Qué dice, mi señor —respondió Sancho—, si ellos son más de veinte y nosotros solo dos?

—Yo valgo por ciento —contestó don Quijote.

Y sin decir más, cogió su espada y atacó a los yangüeses. Lo mismo hizo Sancho Panza, siguiendo el ejemplo de su amo. Don Quijote dio una cuchillada a uno y le rompió el vestido y parte de la espalda.

Los demás yangüeses acudieron con sus palos y comenzaron a dar golpes al amo y al criado hasta hacerlos rodar por el suelo. Los yangüeses, cuando vieron lo que habían hecho, cogieron sus yeguas y echaron a correr camino adelante.

El primero en hablar fue Sancho, que dijo a su amo:

—¡Ay, señor don Quijote! Pido a vuestra merced que me dé un par de tragos de aquella bebida de Fierabrás, si es que la tiene a mano.

–Si la tuviera –respondió don Quijote, con todo el cuerpo dolorido–, te la daría. Pero te juro I swear que la he de conseguir antes de dos días. Te digo, además, que yo tengo la culpa de todo por usar mi espada contra hombres que no son caballeros como yo. No se pueden desobedecer las leyes de la caballería.

–Pues yo soy hombre pacífico –dijo Sancho– y sé disimular cualquier ofensa, porque tengo mujer e hijos que cuidar. Así que no pienso luchar con ningún hombre, alto o bajo, rico o pobre, hidalgo o labrador.

–Has de saber, amigo Sancho –dijo don Quijote–, que la vida de los caballeros andantes es mil veces peligrosa y desgraciada, como lo demuestra la experiencia. Así que haz un esfuerzo*, que lo mismo haré yo. Veamos cómo está Rocinante, que también ha recibido sus golpes.

–Lo raro es que mi asno se haya librado, estando nosotros con las costillas rotas –dijo Sancho.

–Siempre la ventura deja una puerta abierta en las desgracias para remediarlas –dijo don Quijote–. Lo digo porque este asno podrá llevarme ahora a algún castillo donde pueda curar mis heridas. Y no lo tendré como deshonra, que las heridas que se reciben en las batallas antes dan honra* que la quitan; así que, Panza amigo, levántate lo mejor que puedas y ponme encima de tu asno, que nos vamos de aquí antes de que la noche nos sorprenda en este descampado[77].

[77] *descampado:* terreno sin árboles, a campo descubierto.

–Pues yo he oído decir a vuestra merced –dijo Sancho– que es de caballeros andantes dormir en los desiertos, y que lo consideran una suerte.

–Eso es –dijo don Quijote– cuando no pueden más o cuando están enamorados. Es verdad que ha habido caballeros que han estado sobre una piedra, al sol y a la sombra, soportando la lluvia o la nieve durante mucho tiempo, hasta dos años sin que lo supiese su señora. Pero dejemos esto y acaba de preparar el asno antes de que le suceda otra desgracia, como a Rocinante.

Finalmente, Sancho colocó a don Quijote atravesado sobre su asno y se pusieron otra vez en marcha. Al poco rato descubrieron lo que para Sancho era una venta y para don Quijote, un castillo. El escudero no quiso discutir si era venta o castillo y entró en la que él creía venta.

Capítulo XIII

Lo que sucedió en la venta

El ventero, al ver a don Quijote atravesado en el asno, preguntó a Sancho qué le pasaba. Respondió Sancho que su amo se había caído desde una roca y se había golpeado las costillas. Tenía el ventero una mujer y una hija de muy buen ver[78].

[78] *de muy buen ver:* muy guapa y atractiva.

Servía en la venta una moza asturiana, ancha de cara, de nariz chata, tuerta de un ojo y no muy sana del otro. Pero tenía un cuerpo que hacía olvidar las demás faltas. Entre la hija del ventero y Maritornes, que así se llamaba la asturiana, arreglaron una cama a don Quijote, poniendo un colchón, duro como una piedra, sobre unas tablas y dos sábanas hechas de tela de saco.

Maritornes – new character. ugly, but nice figure

En la misma habitación, tenía su cama un arriero que había llegado a pasar la noche.

En esta pobre cama se acostó don Quijote, y entre la ventera y su hija lo curaron. La ventera, al ver los cardenales[79], dijo que aquello parecían golpes y no caída.

[79] *cardenales:* manchas moradas en la piel producidas por un golpe.

—No fueron golpes —dijo Sancho—, sino que la roca tenía muchos picos y cada uno le hizo un cardenal.

—¿Cómo se llama este caballero? —preguntó Maritornes.

—Don Quijote de la Mancha —respondió Sancho—, y es caballero aventurero, y de los mejores y más fuertes que se hayan visto en el mundo.

—¿Qué es caballero aventurero? —preguntó la moza.

—¿Tan nueva sois en el mundo que no lo sabéis? —respondió Sancho—. Sabed, hermana mía, que un caballero aventurero tan pronto es apaleado[80] como es emperador; hoy es la criatura más desgraciada del mundo y mañana tiene dos o tres coronas de reinos para dar a su escudero.

[80] *apaleado:* golpeado con palos.

Don Quijote, que estaba oyendo esta conversación, dijo a la ventera:

—Creedme, hermosa ventera, que os podéis considerar afortunada por haber alojado en vuestro castillo a mi persona. Mi escudero os dirá quién soy. Solo os digo que recordaré siempre el servicio que me habéis hecho.

Ninguna de las tres mujeres entendía nada de lo que decía el andante caballero. Le agradecieron sus palabras y dejaron que Maritornes curara a Sancho, que lo necesitaba tanto como su amo.

El arriero y Maritornes habían planeado juntarse en la cama, cuando la venta estuviese en calma.

El lecho[81] de don Quijote estaba en medio de la habitación y junto a él se acostó Sancho. A continuación estaba la cama del arriero, un poco más cómoda porque era un hombre rico. Ni don Quijote ni Sancho dormían, porque no los dejaba el dolor de las costillas; tampoco dormía el arriero, que esperaba a su Maritornes.

[81] *lecho:* aquí, cama.

Don Quijote empezó a recordar sus lecturas caballerescas. Se imaginó que estaba en un famoso castillo y que la hija del señor del castillo se enamoraba de él locamente y que aquella noche se proponía dormir con él, poniendo a prueba su fidelidad* a Dulcinea del Toboso.

Llegó la hora en que el arriero y Maritornes acordaron[82] verse; entonces, esta entró en la habitación donde los tres dormían.

[82] *acordaron:* llegaron a un acuerdo.

Cuando la sintió don Quijote, porque la habitación estaba a oscuras y no la podía ver, estiró los brazos para recibir a su hermosa doncella. La cogió por una mano y la sentó en su cama. Tocó la camisa que, aunque era de tela áspera*, a él le pareció de fina seda. Acarició los cabellos, que eran tiesos como pelos de caballo, pero él creyó que eran hilos de oro. La pintó en su imaginación como había leído de otras princesas. Mientras la cogía en sus brazos, empezó a decir:

–Quisiera, hermosa señora, pagarle el favor que me hace, pero estos dolores no me permiten satisfacer vuestros deseos. Y a esto se añade que la única señora de mis pensamientos es la singular Dulcinea del Toboso, que si no fuera por esta promesa no dejaría yo pasar esta ocasión que vuestra bondad me ofrece.

El arriero, que escuchaba atentamente las palabras de don Quijote, empezó a sentir celos y se acercó a tientas[83] a la cama donde estaban los dos y se dio cuenta de que la moza quería separarse y don Quijote no la dejaba. Enfurecido, levantó el brazo y dio tal golpe al enamorado caballero, que le llenó la boca de sangre; se subió luego encima y empezó a darle patadas en las costillas.

La cama se vino al suelo y el golpe despertó al ventero, que corrió a ver qué pasaba. Maritornes, que conocía el mal genio de su amo, se escondió

[83] *a tientas:* sin ver, reconociendo las cosas por el tacto.

en la cama de Sancho. Este se despertó y, asustado, empezó a golpear con los puños a diestro y siniestro. Alcanzó a Maritornes varias veces; ella respondió de la misma manera y comenzó entre los dos la más graciosa pelea del mundo. El arriero, que vio cómo estaba su dama, dejó a don Quijote y acudió a socorrerla. Lo mismo hizo el ventero, pero para castigar a la moza.

De este modo, el arriero daba a Sancho, Sancho a la moza, la moza a él, el ventero a la moza, y todos se daban golpes sin parar.

Había también hospedado en la venta un oficial de la justicia, que oyó el ruido. Entró en la habitación diciendo:

–¡Alto en nombre de la justicia! ¡Deténganse todos!

Como la habitación estaba a oscuras, el oficial, a tientas, fue a dar con las barbas de don Quijote, que no se movió. El cuadrillero pensó que estaba muerto y que los allí presentes lo habían matado.

–¡Cierren la puerta de la venta! –dijo–. ¡Que no se vaya nadie, que han matado a un hombre!

Todos desaparecieron del lugar, menos don Quijote y Sancho, que no se pudieron mover de donde estaban.

Capítulo XIV

Prosiguen los trabajos de la venta

Cuando don Quijote se recuperó, comenzó a llamar a su escudero, diciendo:

—Sancho, amigo, ¿duermes? ¿Duermes, amigo Sancho?

—¿Cómo voy a dormir —respondió Sancho de mal humor— si me parece que han estado conmigo todos los diablos esta noche?

—Puedes creerlo así —respondió don Quijote—; porque, o yo sé poco, o este castillo está encantado. Te diré algo si me guardas el secreto mientras yo viva.

—Así lo haré —dijo Sancho—; callaré, como vuestra merced me pide.

—Resulta —dijo don Quijote— que esta noche vino la hija del señor del castillo, que es la más hermosa doncella que pueda haber en gran parte de la tierra. Todo para poner a prueba la fidelidad que debo a mi señora Dulcinea. Estando, pues, en amorosa conversación con ella, una mano de gigante me dio con el puño en la boca y un montón de golpes que me han dejado destrozado.

—Yo digo lo mismo —respondió Sancho—, porque más de cuatrocientos gigantes me han golpeado a mí. Y vuestra merced aún tuvo en sus manos a aquella hermosura que ha dicho, pero yo solo golpes y palos.

—No tengas miedo —dijo don Quijote—, que ahora mismo voy a hacer el bálsamo con el que curarnos. Levántate, si puedes, y pide al señor de este castillo que te dé un poco de aceite, vino, sal y romero para hacer el saludable bálsamo.

Sancho fue en busca del ventero y le pidió lo que su amo le había encargado. Cuando don Quijote tuvo los ingredientes, los mezcló todos y los coció un buen rato. Luego recitó más de ochenta oraciones haciendo una cruz a cada palabra que decía.

Don Quijote quiso comprobar que el bálsamo era bueno y se bebió casi un litro. Apenas lo acabó

1) put to rest ♡ para Dulcinea

2) los gigantes les atacaron

3) 400 +

4) un poco de aceite, vino, sal, romero

5) Recitó más de ochenta oraciones, haciendo una cruz a cada palabra que decía

6) vomitar

7)

de beber, comenzó a vomitar*, de manera que no le quedó nada en el estómago. Luego le entraron unos grandes sudores y se quedó dormido un gran rato. Cuando despertó, se encontró tan bien que creyó que había acertado con el bálsamo de Fierabrás.

Sancho, que vio la mejoría de su amo, quiso probarlo y se bebió unos buenos tragos. Pero su estómago no debía de ser como el de su amo, y nada más tomar el primer trago, sintió que se moría de los vómitos que le entraban.

Don Quijote, que ya estaba deseoso de buscar otras aventuras, preparó a Rocinante. Ayudó a Sancho a subir a su asno y llamó al ventero para decirle:

—Muchos y grandes favores he recibido en vuestro castillo, por lo que os estoy agradecido. Recordad si hay algún agravio que queráis vengar, que yo lo remediaré como vuestra merced me mande.

—Señor caballero, yo no tengo necesidad de que me ayude en ninguna venganza, que eso lo sé hacer yo. Solo necesito que me pague el gasto que ha hecho en la venta, tanto de la paja y ceba-da* de los animales como de la cena y la cama.

7

—Entonces, ¿esto es una venta? —dijo don Quijote.

—Y muy honrada —respondió el ventero.

—Engañado he vivido hasta aquí —dijo don Quijote— porque yo pensé que era castillo. Pero siendo así, tendréis que perdonarme el pago, porque no puedo ir en contra de las leyes de los caballeros andantes, que jamás pagaron posada ni otra cosa en donde estuvieran.

—Poco tengo yo que ver con esto; págueme y dejémonos de cuentos y caballerías —dijo el ventero.

—Sois un estúpido y un mal ventero —dijo don Quijote.

Dicho esto, subió al caballo y salió de la venta, sin que nadie lo detuviese, y él sin mirar si le seguía su escudero.

[84] cobrar: recibir dinero a cambio de un servicio.

El ventero quiso cobrar[84] de Sancho Panza, pero dijo lo mismo que su amo, que para él también valían las leyes de la caballería.

Quiso la mala suerte que en la venta hubiera gente alegre y juguetona que decidió divertirse con Sancho. Fueron hacia él y lo bajaron del asno. Uno de los hombres trajo una manta y, puesto Sancho en el centro, comenzaron a levantarlo en alto y a reírse de él.

Uno de los hombres trajo una manta y, puesto Sancho en el centro, comenzaron a levantarlo en alto y a reírse de él.

Las voces de Sancho llegaron a oídos de don Quijote, que volvió a la venta a ver qué le sucedía a su escudero. Cuando vio lo que sucedía, comenzó a decir tantos y tales insultos que es mejor no escribirlos. Pero los hombres no paraban de mantearlo, hasta que se cansaron y lo dejaron en el suelo. Le trajeron el asno y lo subieron encima, porque él no podía moverse.

Sancho rogó a Maritornes que le trajese un vaso de vino y, una vez bebido el vaso, salió de la venta muy contento de no haber pagado nada, aunque el ventero se quedó con las alforjas en pago de lo que se le debía, sin que Sancho las echara de menos por lo mareado que estaba.

My Chapter

Los rebaños de ovejas

Llegó Sancho adonde estaba don Quijote y al verlo le dijo:

—Ahora creo, Sancho bueno, que aquel castillo o venta está encantado, porque los que se han divertido contigo, ¿qué podían ser *sino* *fantasmas* y gente del otro mundo? Lo sé porque no pude ni bajar del caballo para vengarme, y es que me tenían encantado.

sino – but/however
fantasmas – ghosts

—Yo también me hubiera vengado, pero no pude. Aunque yo creo que los que se han *burlado* de mí no eran fantasmas, sino hombres de carne y hueso, y todos tenían sus nombres, como nosotros. Lo mejor sería volvernos a casa, ahora que es tiempo de la siega*, y cuidar de nuestra hacienda en vez de andar de la ceca a la meca[85].

burlar – to make fun of

[85] *andar de la ceca a la meca:* ir de un lado a otro.

harvest

one side to the other

carne y hueso flesh + bone

83

–¡Qué poco sabes, Sancho –respondió don Quijote–, de asuntos de caballería! Ten paciencia, que un día verás qué honroso es andar en este oficio. ¿Qué mayor alegría puede haber que vencer en una batalla? Ninguna.

–Así debe de ser –respondió Sancho–, pues yo no lo sé; pero desde que somos caballeros andantes no hemos vencido en ninguna batalla. Solo en la del vizcaíno, y así y todo vuestra merced salió sin media oreja.

–Esa es la pena que yo tengo –dijo don Quijote–, pero yo he de conseguir una espada hecha con tal habilidad que no la puedan encantar; y hasta podría conseguir aquella de Amadís cuando se llamaba el Caballero de la Ardiente[86] Espada, que, además de tener esta virtud, cortaba como una navaja* y no había armadura que se le resistiese.

–Supongo –dijo Sancho– que esa espada solo serviría para los caballeros, como el bálsamo, y a los escuderos que nos parta un rayo[87].

Iban conversando cuando don Quijote vio que se levantaba una gran polvareda[88] por el camino. Entonces se volvió a Sancho y le dijo:

–Hoy es el día en el que se verán mi buena suerte y el valor de mi brazo. ¿Ves aquella polva-

[86] *Ardiente:* que quema o arde.

[87] *que nos parta un rayo:* expresión coloquial para indicar desinterés hacia la persona designada por el pronombre.

[88] *polvareda:* polvo que se levanta de la tierra.

84

'super numerous'

reda, Sancho? Se trata de un numerosísimo ejérci- → army
to que viene por allí.

—Serán dos ejércitos —dijo Sancho—, porque por este lado se levanta otra polvareda.

Volvió a mirar don Quijote y vio que era verdad; entonces se alegró muchísimo porque pensó que venían a enfrentarse en aquella llanura. Pero la polvareda la levantaban dos grandes rebaños de ovejas que venían por el mismo camino en diferente sentido.

→ plain (plains + valleys)

Tanto insistió don Quijote en que eran ejércitos, que Sancho se lo creyó y le dijo:

—Señor, ¿qué hemos de hacer nosotros?

—¿Qué? —dijo don Quijote—. Defender y ayudar a los necesitados. Y has de saber que este ejército que viene de frente lo conduce el gran emperador Alifanfarón, y el otro es el de su enemigo, Pentapolín del Arremangado Brazo, llamado así porque siempre combate en las batallas con la manga del brazo derecho subida.

—¿Y por qué se quieren tan mal estos señores? —preguntó Sancho.

—Se quieren mal —dijo don Quijote— porque este Alifanfarón es un cruel pagano[89] y está ena-

pagan

[89] *pagano:* no cristiano.

morado de la hija de Pentapolín, que es cristiana, y su padre no se la quiere entregar al rey pagano.

Siguió don Quijote nombrando caballeros y príncipes que según él venían en uno y otro bando, además de países y ríos de todas partes para destacar la importancia de la imaginada batalla. Cuando don Quijote terminó, le dijo Sancho:

—Señor, yo no veo ni gigantes ni caballeros; quizá todo sea encantamiento.

—¿Cómo dices eso? —respondió don Quijote—. ¿No oyes el relinchar[90] de los caballos, el sonido de las trompetas y el ruido de los tambores?

[90] *relinchar:* voz que emiten los caballos.

—Yo lo único que oigo —contestó Sancho— es el balido[91] de muchas ovejas.

[91] *balido:* voz que emiten las ovejas.

No resistió más don Quijote y se lanzó a todo galope contra el ejército de ovejas y comenzó a atacarlas con su lanza con tanto coraje que mató más de siete.

Los pastores le daban voces para que parase, pero él no hizo caso. Entonces sacaron sus hondas[92] y comenzaron a tirarle piedras. Una de ellas le rompió dos costillas.

[92] *hondas:* instrumentos para lanzar piedras.

Don Quijote se acordó del bálsamo, sacó la aceitera y bebió unos tragos; pero antes de terminar de beber le alcanzó otra piedra que rompió la aceitera y le quitó tres o cuatro dientes. Fue tal el golpe, que don Quijote cayó del caballo. Los pastores, que creyeron que lo habían matado, recogieron su ganado a toda prisa y se fueron.

took the winnings (...) and left

Cuando Sancho vio que se habían ido los pastores, se acercó a don Quijote y le dijo:

7 ovejas

–¿No le decía yo, señor don Quijote, que no eran ejércitos sino rebaños de ovejas?

–Sin duda –dijo don Quijote– que todo esto es un encantamiento, amigo Sancho. Seguro que ahora mismo son ya ejércitos de hombres, como te he dicho.

Quiso Sancho curar a su amo y fue a buscar las alforjas para coger lo necesario. Al descubrir que no las tenía, casi se vuelve loco: pensó en volver a su casa aunque perdiese el salario y la ínsula prometida.

SP finds out their bags are gone, he wants to leave

Cuando don Quijote vio a Sancho tan preocupado, le dijo:

–Has de saber, Sancho, que todas estas desgracias son señal de que pronto sucederán cosas buenas, porque no es posible que el mal ni el bien duren siempre. Y así, como el mal ha durado mucho, el bien está ya cerca.

DQ says their luck will change (good or bad can't last forever)

—Sí, pero me faltan las alforjas —dijo Sancho.

—Entonces no tenemos nada para cenar —dijo don Quijote.

—Así sería —dijo Sancho— si no hubiera por aquí hierbas que vuestra merced dice que conoce.

—Con todo —dijo don Quijote—, yo tomaría mejor un buen trozo de pan y dos sardinas que cuantas hierbas existen. De todas formas, sube en tu asno y sígueme, que Dios da de todo y hace salir el sol sobre los buenos y los malos.

—Mejor era vuestra merced para predicar* —dijo Sancho— que para caballero andante. Vámonos ahora de aquí y busquemos un lugar en que alojarnos esta noche donde no haya mantas que me suban por los aires ni fantasmas.

—Pídeselo tú a Dios, hijo —dijo don Quijote—, y guía tú por donde quieras; que esta vez seré yo quien te siga a ti. Pero antes mira bien cuántos dientes y muelas me faltan.

Metió Sancho los dedos en la boca y le dijo:

—Pues en esta parte de abajo no tiene vuestra merced más de dos muelas y media; y en la de arriba, ni media, ni ninguna.

–¡Mala ventura la mía! –dijo don Quijote–. Más quisiera haber perdido un brazo, siempre que no sea el de la espada. Porque te hago saber, Sancho, que la boca sin muelas es como un molino sin piedra[93], y que hay que valorar más un diente que un diamante. Pero así es el duro trabajo de los caballeros andantes. Sube al asno y guía, que yo te seguiré al paso que quieras.

Empezaron a caminar poco a poco, porque el dolor no dejaba descansar a don Quijote, mientras Sancho contaba algunas cosas que luego diremos.

[93] *molino sin piedra:* la piedra del molino es necesaria para triturar el grano.

Capítulo XVI

Discretas razones de Sancho a su amo

Iban don Quijote y Sancho conversando tranquilamente cuando Sancho miró a don Quijote y le dijo:

—Si alguien le pregunta quién es vuestra merced, le dirá que es el famoso don Quijote de la Mancha, también conocido como el *Caballero de la Triste Figura*.

Don Quijote preguntó a Sancho por qué lo llamaba así.

—Yo se lo diré —respondió Sancho—. Le he estado mirando y tiene vuestra merced la más mala figura que he visto. Debe de ser por el cansancio de los combates o por la falta de las muelas y dientes.

–No es eso –respondió don Quijote–. Será que al sabio autor de esta historia le habrá parecido bien ponerme algún nombre que me describa, como sucedía con otros caballeros en el pasado: uno se llamaba el de la Ardiente Espada; otro, el del Unicornio; otro, el de las Doncellas... Y así, digo que el sabio te ha puesto en la lengua y en el pensamiento el nombre de *Caballero de la Triste Figura*, como pienso llamarme desde hoy. Y para que me reconozcan mejor, haré pintar en mi escudo una triste figura.

–Pues yo digo –dijo Sancho– que tiene tan mala cara por el hambre y la falta de muelas.

Al poco tiempo, llegaron a un espacioso y tranquilo valle donde se pararon a descansar sobre la hierba. Lo que más lamentaba Sancho era no tener vino ni agua que llevarse a la boca.

Capítulo XVII

Los batanes ← a mill

S ancho, viendo que el prado estaba lleno de hierba, dijo:

–No es posible, señor, que no haya por aquí cerca una fuente o un arroyo que dé humedad a estas hierbas. Será mejor que vayamos a buscar el agua que calme esta sed que es peor que el hambre.

A don Quijote le pareció bien y comenzaron a caminar sin ver por dónde andaban, porque la noche era muy oscura. Al poco tiempo, oyeron un gran ruido de agua y unos terribles golpes de hierros y cadenas. *irons + chains*

Quiso don Quijote ir solo a buscar la aventura, pero Sancho, que estaba muerto de miedo, ató las patas a Rocinante para que no pudiese andar.

Don Quijote, creyendo que su caballo estaba encantado, decidió esperar a que fuese de día.

Sancho sintió ganas de desocupar su vientre y lo hizo allí mismo. Como don Quijote tenía buen olfato, enseguida le llegó el mal olor.

–Me parece, Sancho, que tienes mucho miedo.

–Sí tengo –respondió Sancho–. Pero ¿en qué lo ha notado vuestra merced?

–En que ahora hueles, y no a perfume precisamente –dijo don Quijote.

–Bien podría ser –dijo Sancho–; pero yo no tengo la culpa, sino vuestra merced, que me trae a oscuras por estos sitios desconocidos.

–Aléjate un poco, amigo –dijo don Quijote–, y de ahora en adelante ten más cuidado con tu persona y más respeto hacia mí.

Con estas y otras cosas pasaron la noche. Al amanecer, cruzaron un bosquecillo de castaños* y se encontraron una gran cascada* de agua y, al lado de unas rocas, unas casas de donde salían los golpes que tanto los habían asustado.

Don Quijote se fue acercando y pensó con todo su corazón en su señora Dulcinea, suplicán-

dole* que le ayudase en la aventura que se acerca-
ba. Se aproximó un poco más y descubrió la causa
de los ruidos: eran seis mazos de batán[94] que con
sus golpes alternativos producían aquel estruendo.

Cuando don Quijote vio lo que era, se quedó mudo y pasmado[95]. Sancho empezó a reír con
tantas ganas que contagió a don Quijote.

Esto animó a Sancho a seguir riendo, pero
entonces don Quijote se enfadó y le dio unos buenos golpes en la espalda al escudero.

—Tranquilícese vuestra merced —suplicó Sancho—, que no me estoy burlando.

—Ven aquí, señor alegre —dijo don Quijote—,
¿crees que si en lugar de ser mazos de batán hubiera sido otra peligrosa aventura, yo no habría
mostrado valor para llevarla a cabo? ¿Estoy yo
obligado, siendo como soy caballero, a conocer y
distinguir los ruidos y saber cuáles son de batán,
o no? Y además, yo no los he visto en mi vida,
y vos sí, como villano[96] que sois, criado y nacido
entre ellos. Si no, haced que estos seis mazos se
conviertan en seis gigantes y veréis cómo quedan
cuando yo acabe con ellos.

—No hablemos más —dijo Sancho—, que yo
confieso que me he reído demasiado. Pero ¿verdad

they figure out it's a mill

[94] *batán:* máquina
para golpear el cuero
o la ropa con unos
mazos o martillos
grandes que se
mueven con la fuerza
del agua.

[95] *pasmado:* aquí,
muy sorprendido.

[96] *villano:* persona
nacida en una villa
o aldea y de clase pobre,
a diferencia del noble
o hidalgo.

que ha sido cosa de risa, y de contar, el miedo que hemos pasado?

–No niego que no sea cosa de risa –replicó don Quijote–, pero no de contarse, que muchas personas no saben ser discretas*.

–En adelante –dijo Sancho–, solo hablaré para manifestarle mi respeto como a mi amo y señor.

Capítulo XVIII

El yelmo[97] de Mambrino[98]

[97] *yelmo:* parte de la armadura que cubre la cabeza y la cara.

[98] *Mambrino:* rey moro que perdió en combate su yelmo encantado, según los libros de caballerías.

Comenzó a llover un poco y Sancho intentó resguardarse* en el batán, pero don Quijote no quiso entrar para olvidar la pesada burla. Cogieron el camino que habían traído el día anterior y, al poco rato, descubrió don Quijote un hombre a caballo que traía en la cabeza una cosa que brillaba como si fuera de oro. Se volvió a Sancho y le dijo:

—Me parece, Sancho, que se va a cumplir aquel refrán que dice: "Donde una puerta se cierra, otra se abre"[99]. Digo esto porque, si no me engaño, viene hacia nosotros uno que trae en su cabeza el yelmo de Mambrino.

[99] *Donde una puerta se cierra, otra se abre:* significa que cuando tenemos problemas, siempre nos llega algo bueno para aliviarnos.

—Mire vuestra merced bien lo que dice y lo que hace —dijo Sancho—, no se vaya a engañar.

—¿Cómo me puedo engañar? —dijo don Quijote—. ¿No ves tú a aquel caballero sobre un caballo negro que trae en la cabeza un yelmo de oro?

—Lo que yo veo —respondió Sancho— es un hombre sobre un asno que trae en la cabeza algo que brilla.

—Pues ese es el yelmo de Mambrino —dijo don Quijote—. Apártate y déjame solo, y verás qué pronto termino esta aventura y hago mío el yelmo que tanto deseo.

Lo que veía don Quijote era en realidad un barbero sobre un asno, y, como estaba lloviendo, el barbero se había puesto en la cabeza la bacía[100] de afeitar; pero él vio un caballero a caballo con yelmo de oro.

Cuando don Quijote vio que el caballero estaba cerca, se dirigió a él a galope con la intención de atravesarlo con la lanza.

—Defiéndete —decía— o entrégame voluntariamente lo que me pertenece.

El barbero que vio venir a aquel fantasma con la lanza se bajó del asno, comenzó a correr más ligero que un gamo* y abandonó la bacía, lo cual contentó mucho a don Quijote.

[100] *bacía:* recipiente metálico y circular para remojar la barba.

98

Mandó a Sancho que recogiese el yelmo y al tenerlo en sus manos este dijo:

—Ciertamente... la bacía es buena.

Se la dio a su amo, que se la puso en la cabeza, y como no le encajaba* bien dijo:

—No hay duda de que el primero en hacerse a medida este famoso yelmo debía de tener una grandísima cabeza, y lo peor de ello es que le falta la mitad.

Cuando Sancho oyó llamar yelmo a la bacía, no pudo contener la risa, pero disimuló para no enfadar a don Quijote.

—¿De qué te ríes, Sancho? —preguntó don Quijote.

—Me río —dijo— de pensar en la cabeza tan grande que debía de tener el dueño de esta mitad de yelmo, que se parece mucho a una bacía de barbero.

—¿Sabes qué imagino, Sancho? Que este famoso yelmo encantado debió de llegar a manos de alguien que no supo estimar su valor. Y, viendo que era de oro, debió de vender una parte del yelmo y la otra mitad es esta, que parece bacía de barbero, como tú dices. Ahora buscaremos un herrero para que me la ajuste en la cabeza, y me pueda librar de alguna pedrada[101].

[101] *pedrada:* golpe dado con una piedra.

—Eso será —dijo Sancho— si no tiran con honda, como ocurrió en la pelea de los dos ejércitos, cuando le quitaron a vuestra merced las muelas. Hablando de otra cosa —continuó Sancho—, ¿qué hacemos con este caballo, que parece asno, que dejó aquí aquel Martino[102]?

[102] *Martino:* en vez de Mambrino; rasgo de humor de Cervantes al hacer que Sancho se equivoque de nombre.

—No es costumbre entre caballeros quitarle el caballo al que ha sido derrotado si el vencedor no ha perdido el suyo —dijo don Quijote—. Así que, Sancho, deja ese caballo o asno, que su dueño volverá por él.

—Verdaderamente —dijo Sancho— son difíciles de seguir las leyes de caballería. ¿Podría cambiar los aparejos[103] por lo menos?

[103] *aparejos:* conjunto de piezas que lleva una caballería para montarla.

—No estoy muy seguro —respondió don Quijote—, pero… en caso de duda… los puedes cambiar.

Sancho cambió los aparejos y se sentaron a almorzar junto al arroyo de los batanes.

Subieron luego a caballo y se pusieron a caminar sin rumbo fijo. Sancho, que iba muy pensativo, dijo a don Quijote:

—Pienso, señor, que se gana muy poco buscando aventuras por estos desiertos y encrucijadas de caminos, donde no hay quien las vea ni sepa de ellas. Tal vez sería mejor ir a servir a algún emperador o a un príncipe que tenga alguna guerra, para que vuestra merced pueda mostrar su valor; así, cuando el señor a quien sirvamos vea nuestra valía, por fuerza nos tendrá que pagar. Y allí seguro que habrá quien escriba las hazañas de vuestra merced, y las mías, si es costumbre escribir hechos de escuderos.

—No dices mal —respondió don Quijote—, pero antes de todo eso, es preciso andar por el mundo buscando aventuras para conseguir nombre y fama; y así, cuando lleguemos ante algún gran monarca, ya será conocido el caballero, y al verlo las gentes exclamarán: "Este es el *Caballero de la Triste Figura*". El rey, entonces, saldrá y dirá: "¡Salgan mis caballeros a recibir a la flor de la caballería[104] que aquí viene!".

—Sea como dice vuestra merced —dijo Sancho.

[104] *flor de la caballería:* metáfora que significa 'el mejor caballero'.

101

Capítulo XIX

Los galeotes[105]

[105] *galeotes:* remeros de una galera (barco grande de vela y remos); era un castigo frecuente para los presos en esa época.

Habían andado un rato cuando don Quijote alzó los ojos y vio que por el mismo camino venían unos doce hombres a pie, unidos por el cuello por una gran cadena de hierro y todos con esposas[106] en las manos. Los acompañaban dos hombres a caballo con escopetas* y dos a pie con espadas. Cuando los vio Sancho, dijo:

[106] *esposas:* aquí, aros de metal para sujetar a los presos por las manos.

—Esta es una cadena de galeotes, gente que el rey fuerza[107] a las galeras.

—¿Cómo gente que el rey fuerza? —preguntó don Quijote—. ¿Es posible que el rey fuerce a la gente?

[107] *fuerza:* de forzar. El autor juega con el doble significado del verbo: 'obligar' y 'hacer fuerza sobre alguien'. Don Quijote entiende esto último y por eso se extraña.

—No digo eso —respondió Sancho—, sino que es gente que por sus delitos es castigada a servir al rey en las galeras a la fuerza.

—Entonces —dijo don Quijote— esta gente va a la fuerza y no por su voluntad.

—Así es —dijo Sancho.

—Pues esta es la razón de mi oficio: impedir la fuerza y socorrer a los miserables —respondió su amo.

—Sepa vuestra merced —dijo Sancho— que la justicia no fuerza ni ofende; solo castiga los delitos.

Llegaron los galeotes y don Quijote pidió a los guardias que le dijesen la causa por la que llevaban atada a esa gente. Uno de los guardias respondió que eran galeotes, gente de su majestad[108], y que no había más que decir, ni él tenía más que saber.

108 su majestad: fórmula de tratamiento para referirse al rey.

—A pesar de todo, querría saber la causa de su desgracia —dijo don Quijote.

—Acérquese y pregunte a cada uno —dijo otro de los guardias—, que ellos se lo dirán, porque les gusta decir tonterías.

Don Quijote se dirigió al primero y le preguntó qué pecado había cometido para ir de esa manera. Él le respondió que por enamorado iba así.

—¿Por eso nada más? —dijo don Quijote—. Si por enamorados los llevan a galeras, hace tiempo que yo estaría en ellas.

–No son esos amores –dijo el galeote–. Los míos fueron querer una cesta de ropa blanca. Tanto la deseé que me la llevé conmigo y me condenaron a tres años de galera.

Preguntó don Quijote al segundo, pero no respondió palabra, y habló por él el primero:

–Este va por cantar[109] en el ansia.

–No lo entiendo –dijo don Quijote.

[109] *cantar:* aquí, confesar en la jerga propia de los presos. Este uso aún existe.

Uno de los guardianes le dijo:

–Señor caballero, cantar en el ansia es confesar por miedo al castigo. Confesó ser ladrón de animales y lo condenaron a seis años en galeras.

Preguntó don Quijote a otro galeote, que dijo:

–Yo voy por cinco años a galeras porque no tenía diez ducados[110].

[110] *ducados:* monedas de la época.

–Veinte te daría yo por librarte de este sufrimiento –dijo don Quijote.

–Ahora no me sirven de nada –respondió el galeote–. Si entonces los hubiera tenido, podría haber comprado con ellos al juez y ahora estaría en la plaza de Zocodover, de Toledo, y no en este camino.

Preguntó don Quijote a un hombre de barba blanca, que empezó a llorar sin responder palabra. Uno de los galeotes afirmó:

—Este honrado hombre va por cuatro años a galeras por alcahuete[111].

[111] *alcahuete:* persona mediadora en asuntos o encuentros amorosos.

—Por ser alcahuete —dijo don Quijote— no merece ir a galeras, porque es oficio discreto y necesario en una república bien ordenada. Solo lo debería ejercer gente bien nacida y no idiotas y de poco entendimiento, como mujercillas y muchachos de poca experiencia.

—Así es —dijo el viejo—, que yo nunca pensé que hacía mal en ello; mi intención solo era que todo el mundo disfrutase y viviese en paz.

Y volvió a llorar. Sancho le tuvo tanta compasión que le dio una limosna*.

Siguió don Quijote y preguntó a otro su delito, el cual respondió:

—Yo voy aquí porque vivía con cuatro mujeres a la vez muy alegremente, hasta que me descubrieron y me castigaron a seis años a galeras.

Detrás de todos venía un hombre bien parecido[112] atado con más cadenas que los demás. Preguntó don Quijote por qué iba así. El guardia le

[112] *bien parecido:* de buen aspecto, atractivo.

Don Quijote se dirigió al primero y lé preguntó qué pecado había cometido para ir de esa manera.

contestó que había cometido más delitos él solo que todos los demás juntos, y que era tan atrevido y peligroso que temían que fuese a huir. Añadió que estaba condenado por diez años y que se llamaba Ginés de Pasamonte.

–Así me llaman –dijo el galeote–. Y ya me enfada este caballero con tanto querer saber de vidas ajenas. Si quieren conocer la mía, sepan que está escrita por estas manos. Y el libro es tan bueno que se venderá mejor que el *Lazarillo de Tormes*[113] y otros libros de ese género, porque el mío trata de verdades, verdades tan lindas y tan graciosas que no puede haber mentiras que las igualen.

–¿Y cómo se titula el libro? –preguntó don Quijote.

–*La vida de Ginés de Pasamonte* –respondió.

–¿Está acabado? –quiso saber don Quijote.

–¿Cómo puede estar acabado –contestó– si aún no está acabada mi vida? Lo que está escrito es desde mi nacimiento hasta la última vez que estuve en galeras. Y no me importa volver, porque allí tendré tiempo para acabar mi libro.

–Pareces hábil –dijo don Quijote.

[113] *Lazarillo de Tormes:* novela anónima (1554) que inicia el género de la picaresca.

—Y desdichado —respondió Ginés—; porque siempre las desdichas* persiguen al buen ingenio*.

Don Quijote se volvió a los galeotes y dijo:

—De todo lo que habéis dicho he sacado en limpio[114] que sois castigados por vuestras culpas, pero que vais en contra de vuestra voluntad. Todo esto me obliga a cumplir con vosotros la función por la que el cielo me arrojó al mundo, que es favorecer a los oprimidos. Así, quiero rogar a los guardianes que os desaten y os dejen libres, que no faltarán hombres para servir al rey. Además, estos hombres no os han ofendido a vosotros —añadió dirigiéndose a los guardias—, y no se puede hacer esclavos a los que Dios hizo libres. Dios hay en el cielo que castiga al malo y premia al bueno, y no está bien que hombres honrados sean verdugos* de otros hombres.

[114] he sacado en limpio: he llegado a la conclusión.

—¡Graciosa majadería[115]! —respondió el guardia—. Ni nosotros los podemos soltar ni vuestra merced tiene autoridad para mandarnos. Siga, señor, por su camino, colóquese bien esa bacía que lleva en la cabeza, y no ande buscando tres pies al gato[116].

[115] majadería: tontería.

—¡Vos sois el gato, malvado! —gritó don Quijote enfadado.

[116] buscando tres pies al gato: refrán que aconseja no meterse en líos.

A continuación, lo atacó con su lanza y lo derribó del caballo dejándolo malherido. Los demás guardianes fueron contra don Quijote, que se libró porque los galeotes se soltaron las cadenas, con ayuda de Sancho, y se lanzaron contra los guardias, que huyeron corriendo por el campo. Don Quijote llamó a los galeotes y les dijo:

–De gente bien nacida es agradecer los beneficios que se reciben. En pago de lo que he hecho por vosotros, quiero que vayáis a presentaros a mi señora Dulcinea del Toboso y le contéis esta aventura de su *Caballero de la Triste Figura.*

En nombre de todos, respondió Ginés de Pasamonte:

–Lo que vuestra merced nos manda es imposible cumplirlo, porque no podemos ir juntos por los caminos, sino solos y por separado para que no nos encuentre la Justicia. Si lo desea, podemos rezar unas cuantas oraciones y dejar en paz el Toboso.

–¿Qué decís? –gritó don Quijote muy enfadado–, hijo de puta, don Ginesillo de Paropillo, o como os llaméis, que debíais ir vos solo con toda la cadena a cuestas.

Pasamonte, que no aceptaba fácilmente las ofensas, al verse tratado de esa manera, avisó a los demás galeotes, que se apartaron un poco y comenzaron a lanzar piedras a don Quijote, que no sabía cómo defenderse. Sancho se escondió detrás de su amo y así se libró de la lluvia de piedras.

Uno de los galeotes aprovechó que don Quijote había caído al suelo para quitarle la bacía de la cabeza y darle con ella tres o cuatro golpes en la espalda. Luego la golpeó contra la tierra hasta destrozarla.

Antes de huir les quitaron las ropas y se fueron cada uno por su lado para que no los encontrase la Justicia.

Don Quijote quedó triste al verse maltratado por los mismos a quienes tanto bien había hecho.

Capítulo XX

Sierra Morena

Don Quijote, viéndose tan maltratado miró a su escudero y le dijo:

—Sancho, siempre he oído decir que hacer bien a villanos es echar agua en la mar[117]. Si hubiera creído lo que me dijiste, nos hubiéramos ahorrado este disgusto; pero ya está hecho, paciencia. Aprenderemos para otra vez.

[117] *hacer bien a villanos es echar agua en la mar:* no vale la pena portarse bien con gente indigna.

—Vuestra merced no aprenderá nunca —respondió Sancho—. Pero ya que lo dice, créame ahora y vámonos, que la Justicia no sabe de caballerías andantes.

—Naturalmente —dijo don Quijote—, eres cobarde. Pero esta vez seguiré tu consejo con la condición de que no digas nunca que me retiré de este peligro por miedo, sino por complacer tus ruegos. Si dices otra cosa, mentirás.

—Señor, el retirarse no es huir —dijo Sancho— ni el esperar es cordura[118]; así que suba en Rocinante y sígame.

[118] *cordura:* buen juicio, prudencia.

Subió don Quijote sin decir palabra y Sancho se dirigió a una parte de Sierra Morena, con la intención de esconderse algunos días para no ser hallados por la Justicia.

A don Quijote se le alegró el corazón al verse por aquellas montañas, que le parecieron apropiadas para las aventuras que buscaba. Recordaba los hechos que a otros caballeros andantes les habían sucedido en semejantes lugares solitarios y de duro caminar.

Iban poco a poco entrando en lo más áspero de la montaña, cuando Sancho preguntó a su amo:

—Señor, ¿es buena regla de caballería que andemos perdidos por estas montañas, sin senda ni camino?

—Calla, Sancho —dijo don Quijote—; te hago saber que me trae por estos lugares el deseo de hacer en ellos una hazaña con la que he de ganar eterno nombre y fama en toda la tierra.

—¿Es muy peligrosa esa hazaña? —preguntó Sancho.

–No –dijo don Quijote–, es todo cuestión de suerte y depende de tu diligencia[119].

[119] *diligencia:* aquí, eficacia, rapidez.

–¿De mi diligencia? –dijo Sancho.

–Sí –respondió don Quijote–; porque si vuelves pronto de donde pienso enviarte, pronto se acabará mi pena y comenzará mi fama. Y para no tenerte preocupado quiero decirte mis razones. Has de saber que Amadís de Gaula fue el norte, la estrella, el sol de los valientes y enamorados caballeros a quien debemos imitar todos. De modo que el caballero andante que mejor lo imite estará más cerca de alcanzar la perfección de la caballería. Una de las acciones en que él mostró su prudencia, valor, firmeza y amor, fue cuando se marchó a hacer penitencia[120] en la Peña Pobre, despreciado* por la señora Oriana, y hasta cambió su nombre por el de Beltenebros. Así que en esto puedo imitarle mejor que derrotando ejércitos y deshaciendo encantamientos.

[120] *hacer penitencia:* hacer algún sacrificio.

–Entonces, ¿qué es lo que quiere hacer vuestra merced en este escondido y lejano lugar? –preguntó Sancho.

–Ya te he dicho –respondió don Quijote– que quiero imitar a Amadís haciendo aquí el desesperado, el bobo y el lloroso, sin otras locuras que dieron fama a otros caballeros.

–Esos caballeros –dijo Sancho– tenían motivos para hacer esas cosas, pero ¿qué causa tiene vuestra merced para volverse loco? ¿Qué dama le ha despreciado, o qué pruebas tiene de que la señora Dulcinea del Toboso ha hecho alguna tontería con moro o cristiano?

–Así está el asunto –respondió don Quijote–. Si no tengo ningún motivo para hacer estas cosas, ¿qué no haría si lo tuviera? El que está ausente[121], como yo de mi señora Dulcinea, todos los males teme. Loco estoy, loco he de estar hasta que vuelvas con la respuesta a una carta que contigo pienso enviar a Dulcinea. Si la respuesta es favorable, acabarán mi locura y mi penitencia, y si es al contrario, seré un loco de verdad y no sentiré nada. Así, sea cual sea la respuesta, saldré de dudas y del trabajo en que me dejas. Pero dime, Sancho, ¿tienes bien guardado el yelmo de Mambrino?

–Dice vuestra merced, *Caballero de la Triste Figura*, algunas cosas –dijo Sancho– que me hacen pensar que eso de alcanzar reinos e ínsulas son solo mentiras. Porque quien os escuche decir que una bacía de barbero es el yelmo de Mambrino pensará que tiene vacío el juicio.

–Mira, Sancho –dijo don Quijote–, tienes el entendimiento más corto de todos los escuderos

[121] *ausente:* aquí, separado de una persona o fuera de un lugar.

116

del mundo. Andan por ahí encantadores que cambian todas las cosas, y lo que a ti te parece bacía, a mí me parece yelmo de Mambrino y a otro le parecerá otra cosa.

Mientras iban conversando, llegaron al pie de una alta montaña. Corría por ella un pequeño arroyo y había muchos árboles que hacían el lugar agradable y tranquilo. Este sitio escogió el *Caballero de la Triste Figura* para hacer su penitencia, y así, como si estuviera loco, dijo:

–Este es el lugar, ¡oh, cielos!, que escojo para llorar mi desventura y manifestar la pena que mi corazón padece. ¡Oh, vosotros, dioses que habitáis en este lugar, oíd las quejas de este desdichado amante! ¡Oh, Dulcinea del Toboso, día de mi noche, consuelo* de mi pena, norte de mis caminos, que el cielo te dé la ventura que mereces y tú me correspondas por la fidelidad que te tengo!

Dicho esto, se apeó de Rocinante y lo dejó en libertad. Sancho, que vio que su amo quitaba la silla al caballo, le dijo:

–Señor *Caballero de la Triste Figura,* si mi partida[122] y su locura son verdad, será mejor volver a ensillar a Rocinante para hacer yo con él el camino y ahorrar tiempo a mi viaje.

[122] *partida:* aquí, acción de salir de un lugar.

–Tienes razón, Sancho –dijo don Quijote–; dentro de tres días te irás, porque quiero que veas lo que voy a hacer por mi señora Dulcinea y se lo digas.

–Pero ¿qué más tengo que ver? –preguntó Sancho.

–Ahora –respondió don Quijote– me falta romper mis vestidos, quitarme las armas y darme cabezazos[123] en estas piedras.

[123] *cabezazos:* golpes dados con la cabeza.

–Por amor de Dios –dijo Sancho–, ¿no sería mejor darse los golpes en el agua o en algo blando, como algodón?

–Eso sería –dijo don Quijote– desobedecer las órdenes de caballería, que nos mandan no mentir.

–Pues yo doy por vistas todas sus locuras –dijo Sancho–. Escriba vuestra merced la carta, que tengo ganas de sacarle de este purgatorio[124].

[124] *purgatorio:* en la religión católica, lugar donde las almas hacen penitencia para alcanzar el cielo.

–¿Purgatorio lo llamas, Sancho? –replicó don Quijote–. Mejor sería llamarlo infierno, o algo peor.

–Quien va al infierno –dijo Sancho– nunca sale de él, según he oído decir, y a vuestra merced le sucederá al revés, porque diré tales cosas a mi señora Dulcinea que su respuesta lo sacará de este purgatorio.

–Has de saber –dijo don Quijote– que jamás ha visto una carta mía, y que nuestros amores han sido siempre idealizados, y te juro que en doce años que la quiero la he visto cuatro veces y ella solo me ha mirado; tal es la modestia y el recogimiento con que sus padres Lorenzo Corchuelo y Aldonza Nogales la han criado.

–¡Tate! –dijo Sancho–. ¿La hija de Lorenzo Corchuelo es la señora Dulcinea del Toboso, llamada también Aldonza Lorenzo?

–Esa es –dijo don Quijote–, y es la que merece ser señora de todo el universo.

–La conozco bien –dijo Sancho–, y sé que tiene la fuerza de un hombre. ¡Vive Dios!, que es una moza de pelo en pecho[125]. ¡Qué fuerza y qué voz! Dicen que un día se subió al campanario del pueblo para llamar a unos mozos que estaban a más de media legua y la oyeron como si estuviesen junto a la torre. Y lo mejor que tiene es que es muy divertida y graciosa. Ahora digo, señor *Caballero de la Triste Figura,* que me gustaría estar ya en camino para verla, porque hace mucho tiempo que no la veo, aunque debe de estar muy cambiada, porque el aire y el sol del campo estropean mucho la cara. Y digo que hasta hoy era yo un ignorante, porque pensaba que la señora Dulcinea era alguna princesa que mereciese los regalos de su amor.

[125] *de pelo en pecho:* aquí, valiente.

–Ya te he dicho, Sancho –dijo don Quijote–, que eres muy hablador, y aunque eres un poco torpe, a veces te pasas de ingenioso. Y has de saber, si no lo sabes ya, que solo dos cosas llevan a amar: la hermosura y la buena fama, y estas se dan sobradamente en Dulcinea, porque en hermosura ninguna la iguala, y en la fama, pocas le llegan.

–Digo –dijo Sancho– que tiene vuestra merced razón en todo, y que yo soy un asno. Así que venga la carta, que me voy.

–Escucha, que dice así –dijo don Quijote:

CARTA DE DON QUIJOTE A DULCINEA DEL TOBOSO

Soberana y alta[126] *señora:*

El herido por vuestra ausencia en el corazón, dulcísima Dulcinea del Toboso, te envía la salud que él no tiene. Si tu hermosura me desprecia, si tu valor no es para mí, si tu indiferencia me aleja de ti, aunque yo sea bastante sufrido, mal podré aguantar esta desventura que, además de fuerte, es muy duradera. Mi buen escudero Sancho te dará entera relación[127]*, ¡oh, bella ingrata*[128]*, amada enemiga mía!, del modo que por tu causa quedo: si quieres socorrerme, tuyo soy; si no, haz lo que más te guste, que yo con dar fin a mi vida habré cumplido con tu crueldad y con mi deseo.*

Tuyo hasta la muerte,

el Caballero de la Triste Figura.

[126] *Soberana y alta:* es un tratamiento exagerado. Cervantes se burla del estilo recargado de las cartas de amor en los libros de caballerías.

[127] *dará entera relación:* contar todo.

[128] *ingrata:* desagradecida.

—Por la vida de mi padre —dijo Sancho al oír la carta—, que es la cosa más bella que jamás he oído. Digo de verdad que es vuestra merced el mismo diablo, y que no hay cosa que no sepa.

—Todo es necesario —respondió don Quijote— para el oficio que tengo.

Mientras Sancho ensillaba a Rocinante, dijo don Quijote:

—Antes de que te vayas quiero que me veas en cueros[129]; y deseo hacer una o dos docenas de locuras, para que las veas con tus ojos y las puedas contar.

[129] *en cueros:* desnudo.

—Por amor de Dios, señor mío, no quiero ver a vuestra merced desnudo, porque me dará mucha lástima y me pondré a llorar. Pero ya que lo dice, mejor será que vea alguna de esas locuras.

Don Quijote se bajó a toda prisa los calzones y se quedó en ropa interior. Luego dio dos saltos en el aire y se puso cabeza abajo con los pies en alto, descubriendo cosas que, por no verlas otra vez, Sancho dio media vuelta a Rocinante con la seguridad de poder jurar que su amo estaba loco.

(9) 🔊 Capítulo **XXI**

Sancho marcha a llevar la carta

Sancho dejó a su amo y se fue camino del Toboso. Al día siguiente llegó a la venta donde le había sucedido la desgracia de la manta, y no quiso entrar, aunque era la hora de comer y tenía ganas de tomar algo caliente. En esto, salieron de la venta dos personas que lo conocieron. Uno de ellos dijo:

—Dígame, señor cura, aquel del caballo, ¿no es Sancho Panza, el escudero de nuestro aventurero?

—Sí es —dijo el cura—, y aquel es el caballo de don Quijote.

Lo conocieron porque eran el cura y el barbero de su mismo lugar, que sabían de las aventuras de don Quijote.

El cura llamó a Sancho por su nombre y le dijo:

—Amigo Sancho Panza, ¿dónde está vuestro amo?

Sancho decidió ocultar el lugar donde estaba y dijo que se había quedado ocupado en cierta cosa muy importante.

—Si no decís dónde está —dijo el barbero—, pensaremos que lo habéis matado y robado, porque venís en su caballo.

—No me amenacéis —dijo Sancho—, que yo no soy hombre que robe ni mate a nadie. Mi amo está haciendo penitencia entre estas montañas.

Luego les contó las aventuras que le habían sucedido y que ahora él llevaba una carta a la señora Dulcinea del Toboso, que era la hija de Lorenzo Corchuelo, de la que don Quijote estaba muy enamorado. Quedaron los dos admirados de lo que contaba Sancho Panza, porque, aunque ya conocían la locura de don Quijote, siempre les hacía mucha gracia.

Pidieron a Sancho que les enseñara la carta que llevaba a la señora Dulcinea del Toboso. Él les dijo que la tenía escrita en un cuaderno y que su amo le había pedido que alguien se la copiase en un papel. Le dijo el cura que él se la escribiría con buena letra. La buscó Sancho, pero no dio con ella. Con lo cual, le entró tal enfado que empezó a darse bofetadas en la cara y a tirarse de las barbas. El cura y el barbero le preguntaron qué le sucedía y Sancho les dijo:

—¿Qué me ha de suceder? Que he perdido la carta. Pero esto no es todo el mal, porque he perdido también un papel en el que mi amo mandaba a su sobrina que me regalase tres borricos[130].

[130] *borricos:* burros, asnos.

El cura lo animó diciéndole que, cuando encontraran a don Quijote, él le haría repetir la promesa. El barbero le preguntó si se sabía de memoria el contenido de la carta para volver a escribirla. Sancho empezó a rascarse la cabeza queriendo recordar, y dijo:

—Por Dios, señor cura, que los diablos se lleven lo que recuerdo; aunque en el principio decía: "Alta y *sobajada* señora…".

—No diría *sobajada* —dijo el barbero—, sino sobrehumana o soberana señora.

—Así es —dijo Sancho—. Luego, si mal no recuerdo, decía: "El herido besa a vuestra merced las manos, ingrata y muy desconocida hermosa", y no sé qué decía de salud y de enfermedad que le enviaba, y así seguía toda la carta hasta que acababa en "Vuestro hasta la muerte, *el Caballero de la Triste Figura*".

Contó luego Sancho que su señor pensaba ponerse en camino para ser emperador o, por lo menos, rey, si las noticias de Dulcinea eran buenas. Y que a él lo casaría, porque ya sería viudo, con una doncella de la Corte, heredera de un importante reino, nada de ínsulos ni ínsulas, que ya no las quería.

El cura y el barbero pensaban qué grande era la locura de don Quijote, que había conseguido enloquecer a aquel pobre hombre.

El cura, finalmente, dijo:

—Lo más importante ahora es estudiar la forma de sacar a vuestro amo de aquella inútil penitencia.

Cuando salieron, el cura propuso que él se disfrazaría de doncella andante y el barbero se vestiría de escudero, y así irían a donde estaba don Quijote fingiendo ser una doncella triste y apenada. Entonces "ella" le pediría que la acompañase para deshacer y vengar los agravios recibidos. De esta manera, lo llevarían a su casa para ver si tenía remedio su locura.

My Chapter

Capítulo XXII

El cura y el barbero van en busca
de don Quijote

S e pusieron, pues, en camino y cuando ya
habían andado gran parte del trayecto y
estaban cerca del lugar, Sancho les dijo que lo
mejor sería que fuese él delante a buscar a su amo
y darle la respuesta de su señora, porque eso bastaría para sacarle de la locura en que estaba.

Mientras el cura y el barbero descansaban en
un rincón del bosque, oyeron unos tristes lamen-
tos* y sollozos* que salían de detrás de unas rocas.
Se acercaron y descubrieron a un joven, que dijo
llamarse Cardenio, que no paraba de suspirar* y
quejarse porque había sido engañado por su
amada. El cura y el barbero le escucharon y pro-
metieron ayudarle.

Pero su sorpresa fue grande cuando vieron a una mujer joven que lloraba por las mismas razones que Cardenio. Por las cosas que la muchacha contaba, Cardenio la reconoció y le dijo:

—En fin, señora, que tú eres la hermosa Dorotea, la hija del rico Clenardo.

—Y ¿quién sois vos?, ¿por qué sabéis mi nombre? —preguntó Dorotea.

—Yo soy —respondió Cardenio— el desdichado que no pudo obtener el amor de Luscinda, quien prefirió a vuestro amado. Así, vuestra desgracia también es la mía.

No le dio tiempo a decir más a Cardenio, porque oyeron las voces de Sancho Panza, que apareció por entre las rocas contando que había encontrado a don Quijote desnudo, flaco y muerto de hambre, suspirando por su señora Dulcinea. Que cuando le dijo que Dulcinea lo esperaba en el Toboso, respondió que no iría hasta que hubiese realizado hazañas que le hiciesen merecedor de sus amores. Y que si todo seguía así, corría el peligro de no llegar a ser emperador, ni aun arzobispo, que era lo menos que podía ser.

El cura trató de calmarle diciéndole que lo sacarían de allí. Contó luego a Cardenio y Dorotea lo que tenían pensado hacer con don Quijote. Dorotea dijo que ella haría de doncella mejor que el barbero, y que además tenía allí vestidos para representar lo que querían; que había leído muchos libros de caballerías y sabía bien cómo eran las doncellas desgraciadas cuando pedían favores a los caballeros andantes.

—Pues no hace falta más —dijo el cura—; sin duda, la buena suerte está de nuestra parte.

Dorotea se vistió con toda elegancia y a todos les agradaron su gracia y su hermosura. Pero el que más se admiró fue Sancho Panza, pues en todos los días de su vida jamás había visto tan hermosa criatura; así que preguntó al cura quién era aquella señora.

—Esta hermosa señora —respondió el cura— es la heredera del gran reino de Micomicón. Ella viene en busca de vuestro amo a pedirle un favor: deshacer un agravio cometido por un mal gigante.

Dorotea subió sobre la mula del cura y Sancho los guió a donde estaba don Quijote.

Media legua habían andado cuando descubrieron a don Quijote entre unas rocas. Nada más llegar a él, Dorotea se puso de rodillas diciendo:

–De aquí no me levantaré, valeroso y esforzado caballero, hasta que vuestra bondad no me conceda un favor, que dará fama a vuestra persona y será en beneficio de la más desconsolada y agraviada doncella. Y si el valor de vuestro brazo corresponde a vuestra inmortal fama, estáis obligado a ayudar a la que viene de tan lejanas tierras.

–Yo os lo concedo –dijo don Quijote– si no va contra mi rey, o mi patria, o contra aquella que tiene la llave de mi corazón[131].

–No será en perjuicio* de nadie –contestó la doncella.

Sancho se acercó a don Quijote y le dijo:

–Bien puede vuestra merced concederle el favor que os pide: solo se trata de matar a un gigante, y quien lo pide es la princesa Micomicona.

–Sea quien sea –respondió don Quijote–, yo haré lo que debo hacer como caballero andante.

Y volviéndose a la doncella, dijo:

–Levántese vuestra hermosura, que yo os concedo el favor que me pedís.

–Os pido –dijo la doncella– que se venga conmigo y me prometa no entrar en otra aventura

[131] *la llave de mi corazón:* se refiere a su señora Dulcinea, que es quien manda en su corazón.

hasta vengarse de un traidor que me ha quitado mi reino.

–Os lo concedo, señora –respondió don Quijote–; así que ya podéis dejar la pena que os duele; que, con la ayuda de Dios y la de mi brazo, os veréis pronto en vuestro reino. Vámonos ya, que dicen que en la tardanza suele estar el peligro.

Mientras tanto, el cura, que estaba oculto entre unos matorrales*, salió al camino y se puso a mirar muy despacio a don Quijote, disimulando que lo iba reconociendo. Luego se fue hacia él diciendo a grandes voces:

–¡Qué alegría ver de nuevo al famoso don Quijote de la Mancha, el mejor caballero andante!

Don Quijote, sorprendido de lo que oía, miró con atención a aquel hombre y, al fin, lo conoció y se asustó de verlo allí. Para tranquilizarle, el cura fingió que él iba de camino a Sevilla con su escudero, que era en realidad el barbero, pero que unos desconocidos les habían robado una de las mulas y por eso se encontraba él a pie en el camino.

Subió entonces el cura en la mula del barbero, don Quijote en su caballo y Dorotea en la otra mula y, antes de ponerse en marcha, don Quijote dijo a la dama:

–Que sea vuestra grandeza, señora mía, la que guíe por donde desee.

Antes de que ella respondiese, dijo el cura:

–¿Hacia qué reino quiere guiarnos? ¿Es, por ventura, hacia el de Micomicón?

–Sí, señor; hacia ese reino es mi camino –dijo ella para continuar el engaño.

[132] *Cartagena:* ciudad de Murcia con un puerto marítimo muy importante.

–Si así es –dijo el cura–, por mi pueblo hemos de pasar, y de allí irá vuestra merced hacia Cartagena[132], donde se podrá embarcar con buena ventura.

Capítulo XXIII

Don Quijote quiere saber la respuesta de Dulcinea a su carta

M ientras caminaban, Dorotea contó a don Quijote la imaginada historia de su reino y las desgracias que le trajo el famoso gigante. Relató también cómo su padre le había descrito al caballero que debía remediar sus males. Dijo que había de ser un caballero alto de cuerpo, delgado de cara, y que en el hombro derecho había de tener un lunar[133] oscuro.

[133] *lunar:* pequeña mancha natural en la piel.

Al oír esto, dijo don Quijote a su escudero:

—Ven aquí, Sancho, ayúdame a desnudarme, que quiero ver si soy el caballero que aquel sabio rey indicó.

—Pues ¿para qué quiere vuestra merced desnudarse? —preguntó Dorotea.

—Para ver si tengo ese lunar que vuestro padre dijo —respondió don Quijote.

—No hay para qué desnudarse —dijo Sancho—, que yo sé que tiene vuestra merced un lunar de esas características en la mitad de la espalda, que es señal de ser hombre fuerte.

—Eso basta —dijo Dorotea—; porque con los amigos no importa que el lunar esté en el hombro o en la espalda, que todo es el mismo cuerpo.

Después de caminar un buen rato en silencio, dijo don Quijote a Sancho:

—Desde que llegaste no he tenido tiempo de preguntarte acerca de la carta que llevaste y de la respuesta que has traído.

—Pregunte vuestra merced lo que quiera —dijo Sancho—, que a todo daré respuesta.

—Dime entonces, Panza amigo, ¿dónde, cómo y cuándo hallaste a Dulcinea? ¿Qué hacía? ¿Qué le dijiste? ¿Qué te respondió? ¿Qué cara puso cuando leyó mi carta? ¿Quién te la escribió en papel?

—Señor —respondió Sancho—, si he de decir la verdad, la carta no me la escribió nadie, porque no llevé ninguna carta. Pero la tenía en la memoria de cuando vuestra merced me la leyó.

–¿Y la tienes todavía en la memoria, Sancho? –preguntó don Quijote.

–No, señor –respondió Sancho–, como ya se la recité a un sacristán, que la trasladó al papel… Aunque recuerdo aquello de "soberana señora", y lo último: "Vuestro hasta la muerte, *el Caballero de la Triste Figura*". Y en medio de estas dos cosas le puse más de trescientas almas y vidas y ojos míos, y cosas parecidas.

–Todo eso no me descontenta –dijo don Quijote–. Llegaste, ¿y qué hacía aquella reina de la hermosura? Seguro que la hallaste bordando* con hilos de oro para su andante caballero.

–La hallé –respondió Sancho– echando dos sacos de trigo* en el corral de su casa.

–Seguro que los granos de aquel trigo eran de perlas –dijo don Quijote–. Pero sigue adelante. Cuando le diste mi carta, ¿la besó? ¿Se la puso en la cabeza? ¿Qué hizo?

–Cuando le iba a dar la carta –respondió Sancho–, ella estaba removiendo el trigo que tenía en la criba[134], y me dijo: "Poned, amigo, esa carta sobre aquel saco de trigo, que no la puedo leer hasta que acabe lo que estoy haciendo".

[134] *criba:* instrumento para separar el trigo de la paja.

–¡Discreta señora! –dijo don Quijote–. Eso debió de ser por leerla despacio luego. ¿Qué te preguntó de mí? Cuéntamelo todo.

–Ella no me preguntó nada –dijo Sancho–, pero yo le dije cómo vuestra merced estaba haciendo penitencia, desnudo, durmiendo en el suelo, sin comer, llorando, y todo por servirla a ella.

–Es verdad –dijo don Quijote– que todo lo hago por amor de tan alta señora como Dulcinea.

–Tan alta es –respondió Sancho– que me lleva a mí más de un palmo[135].

[135] *palmo:* medida de una mano extendida.

–¿Te has medido con ella? –preguntó don Quijote.

–Pues es que me acerqué a ella para ayudarla a echar un saco de trigo sobre un asno y vi que me llevaba más de un palmo, como he dicho a vuestra merced.

–Cuando llegaste junto a ella, ¿no sentiste un olor a delicioso perfume?

–Lo que sé decir –dijo Sancho– es que sentí un olorcillo algo hombruno[136]; debía de ser que estaba sudada y algo húmeda.

[136] *hombruno:* de hombre.

—No sería eso —dijo don Quijote—, sino que tú debías de estar algo resfriado y te fallaba el olfato, o te debiste oler a ti mismo; porque yo sé bien a lo que huele aquella rosa del campo.

—Todo puede ser —respondió Sancho—, porque muchas veces sale de mí aquel olor que entonces me pareció que salía de la señora Dulcinea.

—Y bien —continuó don Quijote—, después de limpiar el trigo, ¿qué hizo cuando leyó la carta?

—La carta —dijo Sancho— no la leyó, porque dijo que no sabía leer; entonces la rompió diciendo que no quería que la leyese nadie, para que no se enterasen de sus secretos, y que bastaba lo que yo le había dicho de palabra acerca del amor que vuestra merced le tiene y de la penitencia que por su causa está haciendo. Me dijo, finalmente, que dejase vuestra merced estos matorrales y se pusiese camino del Toboso, porque tenía gran deseo de verle.

—Y ¿qué te parece, amigo Sancho, que debo hacer ahora? —preguntó don Quijote—; porque aunque estoy obligado a ir al Toboso, veo también la necesidad de cumplir con lo prometido a la princesa.

—Eso está claro —respondió Sancho—. Deje ahora de ir a ver a la señora Dulcinea y váyase a matar al gigante, y terminemos este negocio que ha de ser de gran beneficio.

—Te digo, Sancho —dijo don Quijote—, que estás en lo cierto y seguiré tu consejo de ir primero con la princesa y luego a ver a Dulcinea.

(10) 🔊 CAPÍTULO XXIV

Los cueros[137] de vino

[137] *cueros:* aquí hace referencia a los recipientes de cuero para contener líquidos.

En esta conversación andaban, cuando llegaron a la venta. La ventera, el ventero, su hija y Maritornes, cuando vieron a don Quijote y Sancho, salieron a recibirlos con mucha alegría. Don Quijote pidió que le prepararan un lecho para descansar, pero que fuera mejor que el que le ofrecieron la última vez. La ventera le dijo que, si lo pagaba mejor que la otra vez, ella se lo daría de príncipes. Don Quijote dijo que así lo haría. Le prepararon la cama y se acostó, porque estaba cansado.

Todos los de la venta estaban admirados de la hermosura de Dorotea y del buen parecer de Cardenio, y sobre ellos trató la conversación durante la comida que preparó el ventero. Mientras tanto, don Quijote dormía; no lo despertaron porque pensaban que le haría más provecho dormir que comer. Maritornes contó lo que le había sucedido con el arriero y don Quijote, así como la broma de la manta con Sancho. El cura decía que los libros de caballerías que había leído don Quijote le habían trastornado* el juicio.

En esto, salió Sancho diciendo a voces:

—Acudid, señores, y socorred a mi señor, que está metido en la más terrible batalla que he visto. ¡Vive Dios, que ha dado una cuchillada al gigante enemigo de la señora princesa Micomicona!

Entonces oyeron un gran ruido y a don Quijote que decía:

—¡Alto, ladrón, que aquí te tengo y no te ha de valer tu espada!

—Entren —dijo Sancho— a ayudar a mi amo, que el gigante debe de estar muerto, porque he visto correr la sangre por el suelo.

—Que me maten —dijo el ventero— si don Quijote no ha dado una cuchillada a uno de los cueros de vino tinto que hay ahí dentro.

Entraron en la habitación y encontraron a don Quijote en camisa, con un gorro colorado, con la espada en la mano dando cuchilladas a todas partes. Lo curioso es que tenía los ojos cerrados, y es que estaba soñando que se enfrentaba al gigante en el reino Micomicón. Había dado tantas cuchilladas a los cueros que toda la habitación estaba llena de vino.

El ventero se enojó tanto, que se echó encima de don Quijote y no paró de darle puñetazos hasta que el cura se lo quitó de las manos. Mientras tanto, Sancho buscaba la cabeza del gigante y decía en voz alta:

—Ya sé yo que en esta casa está todo encantado: la otra vez no supe quién me dio los porrazos[138] que recibí, y ahora no veo la cabeza que yo vi cortar ni la sangre que corría del cuerpo del gigante como de una fuente.

[138] *porrazos:* fuertes golpes por un choque o caída.

—¿Qué sangre ni qué fuente dices? —dijo el ventero—. ¿No ves, ladrón, que esta sangre es el vino tinto de esos cueros?

—No sé nada —dijo Sancho—; solo sé que soy tan desgraciado que, por no hallar la cabeza, perderé mi condado.

El cura tenía cogidas las manos de don Quijote, el cual, creyendo que ya había acabado la aventura y que se hallaba delante de la princesa Micomicona, se puso de rodillas, diciendo:

—Bien puede vuestra grandeza vivir segura, que ya no le podrá hacer mal este gigante; y yo también, porque he cumplido la palabra que os di.

—Ya lo decía yo —dijo Sancho—; mi amo ha enterrado al gigante.

Nadie podía contener la risa oyendo los disparates del amo y del escudero. Todos reían menos el ventero y su mujer.

—En mala hora ha llegado a mi casa este caballero andante —decía la ventera a voz en grito—. Pero no piensen que se irán sin pagar mis cueros y mi vino, que no saldrán de aquí como la otra vez.

El cura la tranquilizó diciéndole que pagarían todo, tanto los cueros como el vino.

Dorotea consoló a Sancho y le prometió darle el mejor condado cuando estuviese en su reino.

(11) 🔊 CAPÍTULO XXV

Vuelta a casa

Llevaban ya dos días en la venta y al cura y al barbero les pareció que ya era hora de irse e intentar curar a don Quijote de su locura en su tierra. Acordaron con un carretero[139] de bueyes* que pasó por allí que lo llevase. Hicieron una jaula* de palos y todos los que estaban en la venta se disfrazaron, de modo que don Quijote no los reconociera. Entraron donde estaba durmiendo, lo ataron de pies y manos y lo metieron en la jaula. Cuando don Quijote se despertó, al ver que no podía moverse, creyó que todas aquellas figuras eran fantasmas de aquel encantado castillo. Todo sucedió como el cura había imaginado. Lo cogieron en hombros, y al salir de la habitación se oyó una voz temerosa que decía:

—¡Oh, *Caballero de la Triste Figura!* No sufras por la prisión en que vas, porque así conviene

[139] *carretero:* el que conduce un carro o carreta.

para acabar antes la aventura en que tu esfuerzo te puso. La aventura acabará cuando el terrible león manchego[140] se una con la blanca paloma del Toboso en un santo matrimonio. Y tú, noble y valiente escudero, no te asuste ver así delante de tus ojos a la flor de la caballería andante, que pronto te verás tan alto que no te conocerás y verás cumplidas las promesas de tu señor.

Don Quijote se consoló al escuchar la profecía[141], porque entendió que se vería unido en santo matrimonio con su querida Dulcinea.

—¡Oh, tú, quienquiera que seas, que tanto bien me has anunciado! Te ruego que pidas al sabio encantador que no me deje morir en esta prisión hasta ver cumplidas tan alegres promesas.

Luego tomaron la jaula en hombros y la colocaron en el carro de los bueyes.

Cuando don Quijote se vio enjaulado y encima del carro, dijo:

—Muchas historias he leído yo de caballeros andantes; pero jamás he leído, ni visto, ni oído que a los caballeros encantados los lleven de esta manera, y tan despacio como andan estos perezosos animales. Porque los suelen llevar por los aires, encerrados en alguna nube, o en algún carro de

[140] *manchego:* natural de la Mancha.

[141] *profecía:* anuncio de lo que va a ocurrir antes de que suceda.

Se puso en marcha el carro y todos lo siguieron, tal como el cura había ordenado.

fuego. Quizá los encantamientos de nuestros tiempos son de otra forma.

El ventero ensilló a Rocinante y preparó el asno de Sancho, que montó en él, llevando a Rocinante de las riendas[142]. Antes de echar a andar el carro, salieron la ventera, su hija y Maritornes a despedirse de don Quijote, fingiendo que lloraban de dolor por su desgracia. Don Quijote les dijo:

142 riendas: cintas o cuerdas para sujetar el caballo y dirigirlo.

—No lloréis, mis buenas señoras, que todas estas desgracias son propias de mi profesión; si esto no me sucediera, no me tendría por famoso caballero. A los caballeros de poco nombre y fama nunca les suceden semejantes casos, y nadie se acuerda de ellos. Perdonadme, hermosas damas, si os he ofendido en algo y rogad a Dios que me saque de estas prisiones, donde algún encantador me ha puesto.

Se puso en marcha el carro y todos lo siguieron, tal como el cura había ordenado. Caminaron en silencio más de dos leguas, hasta llegar a un valle donde el carretero paró a descansar y dar de comer a los bueyes. Una vez terminado el descanso, continuaron el camino que el cura indicaba.

143 Al cabo de seis días: transcurridos seis días.

Al cabo de seis días[143], llegaron a la aldea de don Quijote y atravesaron la plaza, que estaba llena de gente. Acudieron a ver lo que venía en el carro y, cuando conocieron a su vecino, quedaron maravillados. Un muchacho fue corriendo a avisar al ama y a la sobrina de don Quijote, para decirles que venía su tío y señor, flaco y amarillo, en un carro de bueyes. Las dos mujeres empezaron a llorar de tal forma, que daba pena oírlas. Volvieron a maldecir los libros de caballerías, sobre todo cuando entró don Quijote en su casa.

También la mujer de Sancho Panza acudió a ver a su marido. Juana Panza, que así se llamaba la mujer, preguntó a Sancho si venía bueno el asno.

–Mejor que yo –dijo Sancho.

El cura encargó a la sobrina que tratase bien a su tío y lo vigilase para que no se volviera a escapar.

Y así acaba esta segunda salida de don Quijote, a la espera de nuevas aventuras, si tienen lugar.

ACTIVIDADES

ACTIVIDADES DE COMPRENSIÓN LECTORA

1. ¿Por qué perdió el juicio don Quijote?

2. Según don Quijote, ¿qué era necesario para empezar sus aventuras?

3. ¿En dónde y con quién tuvo la primera pelea?

4. En el siguiente texto coloca correctamente estas expresiones.

su misma espada - leía una oración - ponerse de rodillas - cogió un libro - un buen golpe en el cuello - dos conocidas doncellas - hablando entre dientes

"El ventero .... Le acompañaban un muchacho con una vela y las .... Mandó .... a don Quijote, fingió que ...., levantó la mano, le dio .... y después otro con ...., siempre ...., como si rezara."

5. ¿Qué motivó la vuelta a casa después de la primera salida?

6. ¿Hay crítica social en el episodio de Andrés, el chiquillo apaleado por su amo?

7. Explica la postura de don Quijote y la de los mercaderes sobre Dulcinea.

8. ¿Quién había en casa de don Quijote cuando llegó acompañado por el labrador que lo recogió y llevó hasta su aldea?

9. Coloca las siguientes expresiones en los espacios vacíos del texto.

como gobernador - labrador vecino - servirle de escudero - muy poca sal - hombre honrado - ganar alguna ínsula - tanto le prometió

En ese tiempo fue a ver don Quijote a un .... suyo, ... aunque pobre, pero de .... en la mollera. Tanto le dijo y ...., que el hombre decidió irse con él y .... Don Quijote le decía que podía .... y dejarlo a él ....

10. Según la visión de don Quijote, empareja las dos columnas.

molinos de viento	yelmo de Mambrino
venta	Dulcinea del Toboso
bacía	gigantes
Aldonza Lorenzo	castillo

11. ¿Cómo justifica don Quijote lo sucedido con los molinos de viento?

12. Explica la postura de don Quijote y la de Sancho sobre el bálsamo de Fierabrás.

13. ¿Qué crítica hace don Quijote de su época cuando la compara con tiempos pasados en el discurso a los cabreros?

14. Analiza los razonamientos de don Quijote después de la aventura de los yangüeses.

15. Cuando don Quijote cuenta a Sancho lo sucedido con Maritornes en la venta, ¿cómo transforma a los personajes?

16. ¿Qué razones da don Quijote al ventero para no pagarle?

17. ¿Cómo presenta don Quijote la aparición de los dos rebaños?

18. ¿Cómo nace el nombre de *Caballero de la Triste Figura*, en boca de Sancho, y cómo lo interpreta don Quijote?

19. ¿Por qué se enfada don Quijote con Sancho en la aventura de los batanes?

20. ¿Qué era, en realidad, el yelmo de Mambrino?

21. Analiza los cambios de ánimo de don Quijote en la aventura de los galeotes.

22. ¿Cómo describe Sancho a Dulcinea cuando descubre quién es?

23. ¿Quiénes encuentran a Sancho cuando va hacia el Toboso y pasa por la venta?

24. ¿De qué se disfraza Dorotea en Sierra Morena para engañar a don Quijote?

25. En el suceso de los cueros de vino, ¿quién parece más loco, Sancho o don Quijote?

26. ¿Cómo pensaba el cura que reaccionaría don Quijote al verse enjaulado?

ACTIVIDADES DE LÉXICO

1. El criado que trabajaba en casa de don Quijote se dedicaba, entre otras cosas, a podar las viñas. ¿Qué palabras de las siguientes tienen relación con *viña?*

> sembrar - plantar - vendimiar - segar - talar - vid - cepa - sarmiento - uva

2. *A don Quijote se le secó el cerebro.* Cambia las palabras subrayadas por alguna de las siguientes.

> serio - muerto - sin lluvia - flaco - mustias - sin más explicaciones

a) Las hojas del rosal están algo <u>secas.</u>

b) He visto un árbol <u>seco.</u>

c) Es un hombre <u>seco</u> de carnes.

d) Mayo es un mes <u>seco.</u>

e) Juan tiene un carácter <u>seco.</u>

f) Dijo que no a <u>secas.</u>

3. *Don Quijote se dirigió a la venta a toda prisa.* Coloca estas expresiones de sentido parecido donde corresponda.

como una liebre - alargar el paso - meter prisa - aprieta el paso - salió zumbando

a) No paraba de .... a los viajeros.

b) Si quieres ganar tiempo hay que ....

c) Al ver al perro, el gato ....

d) Venga, hombre, ...

e) Cuando lo vi, iba corriendo ....

4. *El ventero le dio un golpe con la mano, o le dio un manotazo.* Empareja cada palabra con su significado.

bofetada	golpe dado con la cabeza
puñetazo	golpe dado con una piedra
porrazo	golpe dado con el pie sobre el pie de otro
pedrada	golpe dado con el puño
cuchillada	golpe ruidoso al caer
pisotón	golpe dado en la cara con la mano abierta
batacazo	golpe dado con el cuchillo u otro objeto cortante
cabezazo	golpe con una porra o el que se recibe al caer
guantazo	golpe dado con la mano abierta

5. *Don Quijote se enfrentó a unos rebaños de ovejas.* Relaciona las dos columnas por su significado. Ayúdate del diccionario.

una piara de	peces
un enjambre de	elefantes
una jauría de	cerdos
una bandada de	abejas
un banco de	perros
una manada de	aves

6. Don Quijote dice a los mercaderes que no tiene valor alguno *confesar una verdad tan notoria.* Empareja los sinónimos y antónimos del adjetivo notorio.

Sinónimo	Antónimo
claro	privado
público	oscuro
sabido	invisible
visible	incierto

7. ... *algo que estaba escrito en el margen.* Hay palabras que significan cosas distintas en masculino y en femenino. Pon el masculino o el femenino en estas frases.

a) El niño jugaba con *(el / la)* cometa.

b) En la naturaleza existe *(un / una)* orden.

c) Colaboro en *(una / un)* editorial.

d) No escribas en *(la / el)* margen.

e) En *(el / la)* margen del río hay árboles.

f) El capitán dio *(la / el)* orden de atacar.

g) Aquí *(las / los)* editoriales se escriben a mano.

h) Han anunciado que esta noche se verá *(la / el)* cometa Halley.

8. Cambia el verbo *decir* por otro verbo de los siguientes sin repetir ninguno.

recitar - contar - anunciar - pronunciar - repetir - afirmar

a) El jefe dijo la salida del tren.

b) La maestra dice muy bien las poesías.

c) Sancho decía una y otra vez que no era verdad.

d) ¿Por qué dices siempre lo mismo?

e) Esa palabra no la dices bien.

f) Os voy a decir un buen chiste.

9. *Los cabreros le estuvieron escuchando sin decir palabra.* Completa las oraciones con estas expresiones, conjugando el verbo según corresponda.

> meter baza - hablar por los codos - sacar a relucir - poner el grito en el cielo - venir a cuento

a) Ayer él no .... en la conversación.

b) Mi cuñada siempre ....

c) ¿Quién te manda .... ese asunto?

d) Le llevé la contraria y ....

e) Cuántas tonterías dices sin ....

10. *Preguntó don Quijote por qué iba así. Yo voy aquí porque vivía con cuatro mujeres.* Escribe *porque, por qué, porqué, por que,* según convenga.

a) No llegó .... salió tarde.

b) Dime el .... de tu decisión.

c) Él sabía .... lo castigaron.

d) Este es el motivo .... no vine.

11. Cambia las expresiones destacadas en cursiva por las siguientes en el lugar donde corresponda.

> según - de ... a - sobre - desde - tras

a) Poned esa carta *encima de* aquel saco de trigo.

b) Subiréis al coche *a medida que* vayáis llegando.

c) Los músicos van *después de* los artistas.

d) *A partir de* ahora callarás, Sancho.

e) Estaremos durmiendo *a partir de* las seis *hasta* las ocho.

12. *Llegó un muchacho a vender unos cartapacios.* Empareja las palabras con su definición.

cartapacio	obra impresa corta sin la categoría de libro
libreta	obra dramática escrita para ponerle música
folleto	conjunto de hojas unidas que forman un volumen
libro	cuadernillo de un libro
fascículo	carpeta para guardar papeles
libreto	libro pequeño de hojas en blanco

13. ¿Qué cosas dijo don Quijote para no pagar en la venta? En lugar de cosas podemos decir razones o *argumentos*. Cambia la palabra *cosa* por alguna de estas en las siguientes oraciones:

asuntos - opciones - noticia - acontecimiento - sustancia - metas

a) El bálsamo de Fierabrás era una cosa líquida.

b) Don Quijote tenía varias cosas para elegir.

c) Sancho no alcanzó todas las cosas que deseaba.

d) El cura contó una cosa al barbero.

e) ¿De qué cosas hablaron con el ventero?

f) Caminó todo el día sin sucederle cosa alguna.

14. Dice don Quijote: "Todo lo hago por amor de tan *alta* señora". Dice Sancho: "Tan *alta* es que me lleva a mí más de un palmo". Observa el significado de *alta* en cada caso.

Indica dos significados distintos de cada una de las siguientes palabras.

gato

gallo

hoja

encantar

forzar

ACTIVIDADES DE GRAMÁTICA

1. Escribe el núcleo del sujeto y del predicado de las oraciones del texto siguiente.

En esto, la señora del coche se acercó a don Quijote y le pidió que perdonara la vida a su escudero. Don Quijote respondió en tono serio: "Yo estoy contento, hermosa señora, de hacer lo que me pedís. Pero este caballero me ha de prometer ir al Toboso".

Sujetos	Predicados

2. De las siguientes oraciones di cuáles son simples (S) y cuáles compuestas (C).

a) Al llegar a la venta, descansaremos. (_)

b) Deseo que me cuentes qué hacía Dulcinea. (_)

c) ¿Quieres mi opinión, Sancho? (_)

d) Nos dieron el recado y se fueron. (_)

e) No esperaba que llegases tarde. (_)

f) Dime la verdad sinceramente. (_)

3. De esas mismas oraciones, escribe los pronombres personales sujeto y el verbo correspondiente.

4. Ordena las siguientes partes para que resulte un texto con sentido.

y comieron los dos en paz - y poco después - para pasar la noche - sacó Sancho lo que traía - subieron luego a caballo - pararon junto a las cabañas de unos cabreros

5. Empareja correctamente los sujetos con los predicados.

La justicia	agradezco el habernos acogido
Las abejas	regalaban la dulce miel
La tierra	le estuvieron escuchando
Yo	era respetada
Los cabreros	ofrecía todo lo necesario

6. *Yangüés* es un adjetivo gentilicio que indica que uno es natural de Yanguas. Forma gentilicios con los siguientes sufijos y los lugares que se indican, según corresponda.

-eño	Alicante, Salamanca
-ano	Coruña, Tarragona
-és	Cáceres, Madrid
-ino	Orense, Valencia
-ín	León, Barcelona
-ense	Mallorca, Menorca

7. Escribe oraciones con esta estructura.

Verbo + participio → *Cayó malherido.*

Hallarse (él, imperfecto) + participio *(acostar)* →
Dejar (yo, indefinido) + participio *(olvidar)* →
Seguir (él, imperfecto) + participio *(dormir)* →
Andar (él, indefinido) + participio *(perder)* →
Tener (yo, presente) + participio *(entender)* →

8. Escribe oraciones según esta estructura siguiendo el ejemplo.

> *Corrieron* → *salir* + gerundio → *Salieron corriendo.*

Lloró → irse + gerundio →

Leía → estar + gerundio →

Huyó → salir + gerundio →

Añadía → ir + gerundio →

Dice → seguir + gerundio →

9. *Mire que aquellos no son gigantes sino molinos de viento.* Escribe *sino* o si *no,* según corresponda:

a) No podía comenzar aventuras .... era armado caballero.

b) Don Quijote no iba solo, ... con Sancho.

c) El caballo de don Quijote no es Babieca, ... Rocinante.

d) Eso, ... son molinos, ¿qué son?

e) ¿Qué serán .... gigantes?

f) .... son gigantes tampoco, ¿qué serán ....?

10. Transforma la oración "Don Quijote, que vio la paliza dada a Rocinante..." utilizando los siguientes nexos:

> cuando - al ver - viendo

11. Aplica algunos de los adjetivos de este texto a los sustantivos siguientes según convenga.

> fabada - envidia - corazón - frente

Servía en la venta una moza asturiana, ancha de cara, de nariz chata, tuerta de un ojo y no muy sana del otro. Pero tenía un buen cuerpo que hacía olvidar las demás faltas.

12. Escribe *la, le* o *lo* según convenga.

a) Da *(la / le)* la mano a la señora.

b) Dáse *(le / la)* tú también.

c) Este canario me *(lo / le)* regaló Juana.

d) Yo *(le / la)* regalé a Luisa un pez.

e) Tóma *(lo / le)* el pulso a tu hermana.

f) Ya se *(le / lo)* he tomado.

SOLUCIONES

ACTIVIDADES DE COMPRENSIÓN LECTORA

1. Por dormir poco y leer muchos libros de caballerías.

2. Ser armado caballero.

3. En la venta, con los arrieros.

4. "El ventero **cogió un libro.** Le acompañaban un muchacho con una vela y las **dos conocidas doncellas.** Mandó **ponerse de rodillas** a don Quijote, fingió que **leía una oración,** levantó la mano y le dio **un buen golpe en el cuello** y después otro con **su misma espada,** siempre **hablando entre dientes,** como si rezara."

5. Coger camisas y dinero y buscar un escudero.

6. Se critica el abuso de poder de los amos, y se confirma el doble resultado de la afirmación "cada uno es hijo de sus obras": Andrés será de nuevo apaleado por no haber cuidado el rebaño y el amo no cumple su promesa de soltarle y pagarle porque no es caballero.

7. Para don Quijote basta la palabra para afirmar la belleza de Dulcinea. Los mercaderes quieren ver la realidad, antes de afirmarla.

8. Pero Pérez, el cura; maese Nicolás, el barbero; la sobrina y el ama.

9. En ese tiempo fue a ver don Quijote a un **labrador vecino** suyo, **hombre honrado** aunque pobre, pero de **muy poca sal** en la mollera. Tanto le dijo y **tanto le prometió,** que el hombre decidió irse con él y **servirle de escudero.** Don Quijote le decía que podía **ganar alguna ínsula** y dejarlo a él **como gobernador.**

10.

molinos de viento → gigantes

venta → castillo

bacía → yelmo de Mambrino

Aldonza Lorenzo → Dulcinea

11. Dice que las cosas de la guerra cambian continuamente y echa la culpa al sabio Frestón, que ha convertido los gigantes en molinos.

12. Para don Quijote es un bálsamo mágico, curativo. Para Sancho es un negocio económico, mejor que la ínsula.

13. Antes no existían las palabras *tuyo* y *mío;* antes la naturaleza te daba sin esfuerzo lo necesario para comer y ahora hay que trabajar duro para conseguirlo. Ahora hay demasiado lujo en el vestir; se han perdido la paz y la amistad; el engaño se mezcla con la verdad.

14. Don Quijote se culpa a sí mismo de lo sucedido por no cumplir las leyes de la caballería: nunca debió luchar contra los yangüeses, puesto que no eran caballeros andantes.

15. Para don Quijote, Maritornes es la más bella doncella, hija del señor del castillo, y el arriero es un gigante de ese castillo encantado.

16. No puede ir en contra de las leyes de los caballeros andantes, que jamás pagaron posada ni otra cosa, porque se les debe acoger bien en reconocimiento de sus trabajos y sufrimientos.

17. Como dos ejércitos dispuestos a luchar.

18. Sancho le pone ese nombre por la mala cara y figura que tiene, debido al cansancio y a la falta de dientes y muelas. Don Quijote cree que ha sido el sabio autor de su historia quien le ha inspirado a Sancho ese nombre, para imitar a otros caballeros.

19. Porque ve que Sancho se ríe de él, y le da vergüenza que piense que ha pasado miedo.

20. Una bacía de barbero.

21. Al principio se muestra más o menos juicioso: no soporta que la gente vaya a la fuerza como esclavos, los juzga con generosidad y mente abierta, pero es arbitrario al interpretar la Justicia y soltarlos.

Al final vuelve a aparecer su falta de juicio, cuando se enfada porque los galeotes menosprecian a su señora Dulcinea.

22. Como una moza del campo, con la fuerza de un hombre, de pelo en pecho, gritona y muy divertida.

23. El cura y el barbero.

24. Se disfraza de la princesa Micomicona, que viene a pedir ayuda a don Quijote. Con ese engaño pretende que regrese a su casa.

25. Sancho, que cree que don Quijote ha matado al gigante y que el vino es sangre. Don Quijote, en cambio, está soñando.

26. Pensó que don Quijote creería que todo aquello era debido a un encantamiento.

ACTIVIDADES DE LÉXICO

1.

plantar - vendimiar - vid - cepa - sarmiento - uva

2.

a) Las hojas del rosal están algo mustias.

b) He visto un árbol muerto.

c) Es un hombre flaco de carnes.

d) Mayo es un mes sin lluvia.

e) Juan tiene un carácter serio.

f) Dijo que no sin más explicaciones.

3.

a) No paraba de **meter prisa** a los viajeros.

b) Si quieres ganar tiempo hay que **alargar el paso.**

c) Al ver al perro, el gato **salió zumbando.**

d) Venga, hombre, **aprieta el paso.**

e) Cuando lo vi, iba corriendo **como una liebre.**

4.

bofetada	→	golpe dado en la cara con la mano abierta
puñetazo	→	golpe dado con el puño
porrazo	→	golpe con una porra o el que se recibe al caer
pedrada	→	golpe dado con una piedra
cuchillada	→	golpe dado con el cuchillo u otro objeto cortante
pisotón	→	golpe dado con el pie sobre el pie de otro
batacazo	→	golpe ruidoso al caer
cabezazo	→	golpe dado con la cabeza
guantazo	→	golpe dado con la mano abierta

5.

una piara de	→	cerdos
un enjambre de	→	abejas
una jauría de	→	perros
una bandada de	→	aves
un banco de	→	peces
una manada de	→	elefantes

6.

Sinónimo	Antónimo
claro	oscuro
público	privado
sabido	desconocido
visible	invisible

7.

a) El niño jugaba con **la** cometa.

b) En la naturaleza existe **un** orden.

c) Colaboro en **una** editorial.

d) No escribas en **el** margen.

e) En **la** margen del río hay árboles.

f) El capitán dio **la** orden de atacar.

g) Aquí **los** editoriales se escriben a mano.

h) Han anunciado que esta noche se verá **el** cometa Halley.

8.

a) El jefe **anunció** la salida del tren.

b) La maestra **recita** muy bien las poesías.

c) Sancho **afirmaba** una y otra vez que no era verdad.

d) ¿Por qué **repites** siempre lo mismo?

e) Esa palabra no la **pronuncias** bien.

f) Os voy a **contar** un buen chiste.

9.

a) Ayer él no **metió baza** en la conversación.

b) Mi cuñada siempre **habla por los codos.**

c) ¿Quién te manda **sacar a relucir** ese asunto?

d) Le llevé la contraria y **puso el grito en el cielo.**

e) Cuántas tonterías dices sin **venir a cuento.**

10.

a) No llegó **porque** salió tarde.

b) Dime el **porqué** de tu decisión.

c) Él sabía **por qué** lo castigaron.

d) Este es el motivo **por que** no vine.

11.

a) Poned esa carta **sobre** aquel saco de trigo.

b) Subiréis al coche **según** vayáis llegando.

c) Los músicos van **tras** los artistas.

d) **Desde** ahora callarás, Sancho.

e) Estaremos durmiendo **de** (las) seis **a** (las) ocho.

12.

cartapacio → carpeta para guardar papeles

libreta   → libro pequeño de hojas en blanco

folleto   → obra impresa corta sin la categoría de libro

libro   → conjunto de hojas unidas que forman un volumen

fascículo → cuadernillo de un libro

libreto   → obra dramática escrita para ponerle música

13.

a) El bálsamo de Fierabrás era una **sustancia** líquida.

b) Don Quijote tenía varias **opciones** para elegir.

c) Sancho no alcanzó todas las **metas** que deseaba.

d) El cura contó una **noticia** al barbero.

e) ¿De qué **asuntos** hablaron con el ventero?

f) Caminó todo el día sin sucederle **acontecimiento** alguno.

14.

gato - animal / instrumento del coche

gallo - animal / voz desafinada al cantar

hoja - de árbol / de un libro

encantar - gustar mucho / hechizar

forzar - obligar / hacer fuerza sobre algo o alguien

ACTIVIDADES DE GRAMÁTICA

1.

Sujetos	Predicados
la señora	se acercó
(la señora)	pidió
(don Quijote)	perdonara
Don Quijote	respondió
Yo	estoy contento
(vos)	pedís
este caballero	ha de prometer

2.

a) Al llegar a la venta, descansaremos. **(C)**

b) Deseo que me cuentes qué hacía Dulcinea. **(C)**

c) ¿Quieres mi opinión, Sancho? **(S)**

d) Nos dieron el recado y se fueron. **(C)**

e) No esperaba que llegases tarde. **(C)**

f) Dime la verdad sinceramente. **(S)**

3.

a) nosotros   llegar

    nosotros   descansaremos

b) yo   deseo

    tú   cuentes

    ella   hacía

c) tú   quieres

d) ellos   dieron

    ellos   se fueron

e) yo   (no) esperaba

    tú   llegases

f) tú   di(me)

4.

Sacó Sancho lo que traía y comieron los dos en paz. Subieron luego a caballo y poco después pararon junto a las cabañas de unos cabreros para pasar la noche.

5.

La justicia → era respetada

Las abejas → regalaban la dulce miel

La tierra → ofrecía todo lo necesario

Yo → agradezco el habernos acogido

Los cabreros → le estuvieron escuchando

6.

-eño	cacereño, madrileño	Cáceres, Madrid
-ano	orensano, valenciano	Orense, Valencia
-és	leonés, barcelonés	León, Barcelona
-ino	alicantino, salmantino	Alicante, Salamanca
-ín	mallorquín, menorquín	Mallorca, Menorca
-ense	coruñense, tarraconense	Coruña, Tarragona

7.

Se hallaba acostado.

Dejé olvidado.

Seguía dormido.

Anduvo perdido.

Tengo entendido.

8.

Se fue llorando.

Estaba leyendo.

Salió huyendo.

Iba añadiendo.

Sigue diciendo.

9.

a) No podía comenzar aventuras **si no** era armado caballero.

b) Don Quijote no iba solo, **sino** con Sancho.

c) El caballo de don Quijote no es Babieca, **sino** Rocinante.

d) Eso, **si no** son molinos, ¿qué son?

e) ¿Qué serán **sino** gigantes?

f) **Si no** son gigantes tampoco, ¿qué serán **si no?**

10.

Don Quijote, cuando vio la paliza dada a Rocinante...

Don Quijote, al ver la paliza dada a Rocinante...

Don Quijote, viendo la paliza dada a Rocinante...

11.

asturiana - fabada;

ancha - frente;

sana - envidia;

buen - corazón

12.

a) Da**le** la mano a la señora.

b) Dáse**la** tú también.

c) Este canario me **lo** regaló Juana.

d) Yo **le** regalé a Luisa un pez.

e) Tóma**le** el pulso a tu hermana.

f) Ya se **lo** he tomado.

GLOSARIO

Español	Inglés	Francés	Alemán	Italiano	Portugués (brasileño)
ansioso	eager	anxieux	abegierig	ansioso	ansioso, sôfrego
asno	ass, donkey	âne	Essel	asino	asno
áspero	rough, coarse	rêche, rugueux	rau	ruvido	áspero
azotar	to flog	fouetter	peitschen	frustare	açoitar
bellota	acorn	gland	Eichel	ghianda	bolota
bordar	to embroider	broder	besticken	ricamare	bordar
buey	ox	boeuf	Ochse	bue	boi
bulto	shape	masse, silhouette	undeutliche Gestalt	forma, massa	vulto, volume
capilla	chapel	chapelle	Kapelle	cappella	capela
canalla	swine	salaud, gredin	Schurke	canaglia, furfante	canalha
cascada	waterfall	cascade	Wasserfall	cascata	cascata
castaño	chestnut tree	châtaignier, marronnier	Kastanienbaum	castagno	castanho
cebada	barley	orge	Gerste	orzo	cevada
ceremonia	ceremony	cérémonie	Zeremonie	cerimonia	cerimónia (cerimônia)
cólera	rage, anger	colère	Zorn, Wut	collera	cólera
consuelo	comfort, consolation	consolation, soulagement	Trost, Erleichterung	conforto, consolazione	consolo, alívio
coz	kick	ruade	Hufschlag	calcio	coice
derrota	defeat	défaite	Niederlage	sconfitta	derrota
dichoso	happy	heureux	glücklich	felice	feliz, ditoso
discreto	discreet	discret	zurückhaltend, unaufdringlich	discreto	discreto
desdicha	misfortune	malheur	Unglück	sfortuna, guaio	infortúnio (desgraça)
despreciado	spurned	dédaigné, méprisé	verschmäht, ausgeschlagt	sprezzato	desprezado
encajar	to pull down	enfoncer, emboîter	aufstülpen, aufsetzen	incassare	encaixar
encina	holm oak	chêne	Steineiche	quercia	azinheira
ensillar	to saddle	seller	satteln	sellare	selar
esclavo	slave	esclave	Skavle	schiavo	escravo
escopeta	shotgun	fusil	Gewehr	schioppo	escopeta (espingarda)
escudo	shield	bouclier	Schild	scudo	escudo
esfuerzo	effort	effort	Mühe	sforzo	esforço
fidelidad	faithfulness, loyalty	fidélité	Treue	fedeltà	fidelidade
furia	fury	fureur	Wut	furia	fúria
galgo	greyhound	lévrier	Windhund	levriere	galgo
galope	gallop	galop	Galopp	galoppo	galope
gamo	fallow deer	daim	Damhirsch	daino	gamo
honestidad	honesty	honnêteté	Ehrlichkeit	onestà	honestidade
honra	honor	honneur	Ehre	onore	honra
ingenio	ingenuity, wit	esprit, finesse	Geist, Witz	spirito	engenho
instinto	instinct	instinct	Instinkt	istinto	instinto
ira	rage, wrath	colère, courroux	Wut, Raserei	ira	ira
jaula	cage	cage	Käfig	gabbia	jaula

174

Español	Inglés	Francés	Alemán	Italiano	Portugués (brasileño)
labrador	ploughman, peasant	laboureur, paysan	Landwirt, Bauer	contadino	lavrador
lamento	wail, lamentation	lamentation	Wehklagen	lamento	lamento
lanza	spear	lance	Lanze	lancia	lança
limosna	alm	aumône	Almosen	elemosina	esmola
machacar	to crush, to smash	écraser, piler	zermahlen, zerstampfen	macinare	esmagar
matorral	bush	buisson	Gestrüpp	cespuglio, sterpo	matagal
manjar	delicacy	mets	Delikatesse	prelibatezza	manjar (quitute)
mula	mule	mule	Maultier	mula	mula
musa	muse	muse	Muse	musa	musa
navaja	knife	couteau	Messer	coltello	navalha
perjuicio	damage, harm	préjudice, dommage	Schaden	danno	dano (prejuízo)
podar	to prune	tailler	beschneiden	potare	podar
pozo	well	puit	Brunnen	pozzo	poço
predicar	to preach	prêcher	predigen	predicare	pregar
raptor	kidanapper	ravisseur	Entführer	rapitore	raptor
rebaño	flock	troupeau	Herde	gregge	rebanho
rendirse	to surrender	se rendre	sich ergeben	arrendersi	render-se
renunciar(a)	to relinquish, to give up	renoncer	aufgeben, verzichten	rinunziare	renunciar
resguardarse(de)	to shelter	s'abriter	sich schützen	ripararsi	resguardar-se
robusto	robust, sturdy	robuste	robust	robusto	robusto
rodar	to roll	rouler	rollen	ruzzolare	rodar
siega	harvest	fauchaison	Mähzeit	falciatura	sega
sollozo	sob	sanglot	Schluchzen	singhiozzo	soluço
sosiego	peace, quiet	calme, repos	Ruhe	quiete	sossego
suplicar	to beg	supplier, prier	anflehen	supplicare	suplicar
suspirar	to sigh	soupirer	seufzen	sospirare	suspirar
tapiar	to wall up	murer	zumauern	murare	taipar
tocino	pork fat	lard	Speck	lardo	toicinho
traidor	traitor	traître	Verräter	traditore	traidor
trastornar	to drive mad, to unhinge	bouleverser, faire perdre la tête	verstören	stravolgere	transtornar
trayecto	route, way	route, trajet	Strecke, Weg	tragitto, cammino	trajecto (trajeto)
trigo	wheat	blé	Weizen	frumento	trigo
vela	candle	chandelle, bougie	Kerze	candela	vela
venda	scales (to be blind)	bandeau	Schuppen (blind sein)	benda	venda
vengar	to avenge	venger	rächen	vendicare	vingar
verdugo	hangman, executioner	bourreau	Henker	boia	verdugo
viña	vineyard	vignoble	Weinberg, Weingarten	vigneto	vinhedo
vomitar	to vomit	vomir	erbrechen, sich übergeben	vomitare	vomitar
yegua	mare	jument, cavale	Stute	cavalla	égua